D1290518

10 BONNES RAISONS D'ALLER MARCHER

© Éditions Paulsen, 2017
Collection Guérin, Chamonix – guerin.editionspaulsen.com
Les éditions Paulsen sont une société du groupe Paulsen Media.

THIERRY MALLERET
AVEC MARY ANNE MALLERET

10
bonnes raisons
d'aller marcher

Guérin
éditions Paulsen

à Constance, Clémence, Béatrice et Mathilde

*Seules les pensées qu'on a en marchant
valent quelque chose.*

Friedrich Nietzsche
« Le Crépuscule des idoles » (1888)

Sors marcher. C'est la splendeur de la vie.

Maira Kalman
« My Favorite Things »

PRÉFACE

D'un point de vue personnel, j'ai reconnu depuis longtemps l'intérêt, pour ne pas dire la nécessité, de l'activité physique en général et de la marche en particulier ; aussi bien pour mon bien-être mental, émotionnel et physique que pour la qualité de mon effort intellectuel et de ma réflexion. Dans ma vie professionnelle, j'ai toujours essayé de partager et d'encourager cette conviction forte, aussi bien avec mes collègues (Thierry et Mary Anne y font allusion dans le texte) qu'avec les leaders d'opinion et les décideurs qui composent la communauté du World Economic Forum.

Ce livre succinct et éminemment accessible va bien plus loin : il rassemble les éléments de réflexion, le corpus théorique et les données nécessaires pour étayer ma conviction. Ainsi, il fournit aux « convertis » – tous ceux qui, comme moi, marchent depuis toujours et pour qui les effets bénéfiques de cette pratique constituent une seconde nature – un argumentaire fort permettant d'embrasser la cause de la marche pour le bénéfice de tous.

Au Forum économique mondial[1], nous sommes déterminés à rendre le monde meilleur (notre devise est : « *Committed to improving the state of the World* »). D'une manière qui lui est propre, *Dix bonnes raisons d'aller marcher* poursuit le même objectif. Comme le livre le démontre avec brio, si nous marchions davantage, le monde irait un peu mieux, dans des domaines aussi différents que l'air que nous respirons, le traitement de l'épidémie de dépression dont nos sociétés sont aujourd'hui victimes, ou tout simplement la capacité de prendre de meilleures décisions.

---

1. Fondation à but non lucratif créée en 1971 sous le nom de World Economic Forum et dont le siège est à Genève.

Je recommande vivement *Dix bonnes raisons d'aller marcher* à tous ceux qui marchent ainsi qu'à tous ceux qui, un jour ou l'autre, se mettront en marche. Je le recommande avec une énergie particulière à ces derniers, tous ceux qui restent à convaincre des innombrables bénéfices de la marche. Pour eux, ce livre donne dix excellents arguments !

Klaus Schwab
Fondateur et président exécutif
du Forum économique mondial

INTRODUCTION

J'ai toujours marché. Partout et dans n'importe quelles circonstances. En montagne, le long des côtes, à la campagne, dans les villes ou les bois ; sur des sommets, le bitume, à travers les chemins ou hors sentiers. D'abord avec mes parents, puis seul, ou en famille et avec des amis. J'ai marché par plaisir ; parfois par nécessité – d'un rendez-vous à l'autre, pour attraper un train, pour une « approche » avant l'escalade – mais toujours avec un indicible sentiment d'allégresse et une espèce de ravissement. J'ai aussi marché de manière « thérapeutique », un peu malgré moi. À chaque fois que ma femme et moi éprouvions une légère démobilisation ou une contrariété quelconque, nous sortions marcher avec nos filles et revenions transformés, réalisant de manière confuse mais tangible que notre moral s'améliorait à chaque pas. Même chose pour le travail : quand une question épineuse me turlupinait, j'allais faire quelques pas, jusqu'à ce que la solution s'imposât, émergeant comme par miracle et en dehors du champ de ma compréhension. Bref : la marche a toujours fait partie intégrante de mon existence ; s'étant imposée dès le départ comme une évidence – une irrépressible activité qui va de soi.

Quand un peu par hasard, il y a quelques années, j'ai commencé ma collaboration avec le Global Wellness Institute (basé à New York) sur les questions d'économie du bien-être, ma perspective sur la pratique de la marche a changé. En côtoyant des chercheurs en neurosciences, des médecins, des psychologues, des psychiatres, des universitaires spécialistes du leadership, la réponse à tout ce qui allait intuitivement de soi a surgi : la marche nous fait un bien fou qui va très au-delà du simple plaisir des sens et d'un fugitif moment de bonheur. Elle est tout simplement, mais fondamentalement, « nécessaire », pour nous-mêmes et pour nos sociétés.

Armé de ces nouvelles certitudes ancrées dans la science, j'ai décidé de sortir du carcan des habitudes – le bureau ou la salle de réunion – et d'associer le principe de réalité et le plaisir : j'ai déménagé ma société de conseil en investissements à Chamonix et j'ai osé proposer à mes clients (des gens « sérieux » qui ont bien réussi dans leur vie professionnelle et ont par conséquent une tolérance très limitée pour ce qui ne fait pas sens) de travailler en marchant car on prend de meilleures décisions financières ou stratégiques lorsque le corps est en mouvement. Le succès a été immédiat. Si l'appétence des décideurs pour la marche est aussi forte, c'est qu'ils apprécient ses vertus polymorphes : elle calme et stimule à la fois, elle terrasse le démon de la procrastination, elle donne du sens et chasse le doute, elle insuffle de l'énergie, elle aiguise notre intellect et stimule notre réflexion, elle libère nos endorphines (« l'hormone du bien-être »), elle est source d'inspiration et de créativité. De plus en plus de décideurs le reconnaissent : non seulement le travail et la marche sont compatibles, mais la marche démultiplie l'efficacité avec laquelle on travaille. Elle nous responsabilise aussi vis-à-vis de la société en nous permettant d'agir face à certains de ses problèmes les plus aigus comme l'environnement et les inégalités.

Je suis convaincu que la marche peut changer nos vies, sans qu'il soit nécessaire de partir en montagne ou au bout du monde pour en faire l'expérience. Mon associé Philippe Bourguignon, devenu entrepreneur et investisseur sur le tard après une carrière de grand patron, m'en a offert récemment un exemple parfait. Un jour, il a décidé d'aller à son bureau de Washington à pied plutôt qu'en voiture. Il m'a raconté comment cette décision toute simple en apparence l'avait transformé : « J'ai appris à mieux connaître mon quartier. Je me prépare mentalement durant ces vingt minutes à pied : je réfléchis à mes dossiers, je pense à mes rendez-vous, mais je passe aussi quelques appels à la famille et à mes amis. Ça me fait un bien fou. Ça me donne aussi l'occasion d'engager la conversation avec des gens avec qui je n'aurais sans doute jamais parlé par ailleurs, et de découvrir plein de détails que je n'aurais jamais pu observer en voiture : des situations, des vitrines, l'étal d'un commerçant… Quand j'arrive au bureau, je suis relaxé et prêt à affronter une longue journée de travail. Le soir, je fais la même chose : je rentre à pied, je fais le débriefing, je musarde un peu en laissant mon esprit vagabonder. C'est mon sas de décompression ! J'arrive chez moi avec le plein d'énergie pour la soirée. »

Philippe me rend un fier service : en quelques phrases, il a énuméré une bonne partie de nos bonnes raisons d'aller marcher. Les dix cases sont presque toutes cochées !

J'aimerais que ce livre, à l'image de cet exemple, incite toutes celles et tous ceux d'entre vous qui ne sont pas *a priori* adeptes de la marche à changer d'avis et à faire comme Philippe. Marcher deviendra alors bien plus qu'une nécessité : une ouverture sur le monde et une source de plaisirs aussi intense qu'accessible.

1

C'EST BON POUR LE CORPS

Une fois par an, quelques-uns de mes clients et d'autres grands décideurs internationaux – des financiers, des patrons d'entreprises multinationales – se font réaliser un check-up au Mayo Clinic, un centre hospitalier américain à Rochester (dans le Minnesota), réputé dans le monde entier pour l'excellence de son programme de médecine intégrative. Le Mayo Clinic est l'un des premiers hôpitaux au monde à avoir proposé à ses patients un programme médical de marche avec comme slogan : « Une fois que tu as réalisé le premier pas, tu es en chemin pour une destination importante : une meilleure santé. » Hippocrate le disait déjà ! « La marche est le meilleur remède pour l'homme. » Deux mille ans plus tard, l'une des plus prestigieuses universités de médecine au monde, la Harvard Medical School, professe, à l'instar du Mayo Clinic, que « chaque promenade que nous faisons est un pas vers la bonne santé ». D'innombrables études médicales corroborent cette appréciation, qualifiant la marche de « panacée » et de « médicament miracle ».

De plus en plus d'agences gouvernementales et d'organisations de santé publique vantent les avantages de la marche en termes de santé physique. Ils sont si nombreux et leurs natures tellement variées qu'il est difficile de savoir où commencer. À titre d'exemple, le gouvernement canadien (un pays où il fait bon marcher !) affirme que la marche exerce un effet positif sur le système cardiovasculaire et l'appareil locomoteur en réduisant le risque de maladie coronarienne et d'attaque cérébrale, en diminuant la tension artérielle, en réduisant le taux de cholestérol dans le sang, en accroissant la densité osseuse, donc prévenant l'ostéoporose, en atténuant les effets de l'arthrose, et en calmant les douleurs lombaires. La Harvard Medical School va plus loin, soutenant que la marche n'améliore pas seulement les facteurs de risque cardiaque tels que le cholestérol, la tension artérielle, les problèmes cardiovasculaires en général et d'inflammation, mais protège aussi contre les risques de maladie artérielle périphérique, la démence, le diabète, l'obésité, la dépression, le cancer du côlon et même la dysfonction érectile.

La meilleure preuve des bénéfices de la marche pour la santé réside dans une méta-analyse de tous les travaux de recherche publiés sur le sujet entre 1970 et 2007 dans les publications scientifiques en langue anglaise. Après avoir écumé 4 295 articles, les deux universitaires britanniques responsables du projet identifièrent dix-huit études répondant à leurs normes de qualité. En tout, elles comptabilisaient 459 833 personnes sans problème de maladies cardiovasculaires au moment où les recherches ont commencé. Chaque étude collectait un maximum d'informations sur les habitudes de marche des participants et sur leur historique médical : âge et facteurs de risques cardiovasculaires, consommation d'alcool et de tabac, ainsi que toutes sortes de données médicales. Les participants furent suivis au cours d'une période d'en moyenne de 11,3 ans, durant lesquelles tous les accidents cardiovasculaires (angine de poitrine, infarctus, arrêt cardiaque, pontage coronarien, angioplastie, accident vasculaire cérébral) et les cas de décès furent enregistrés. Les résultats de cette méta-analyse militent fortement en faveur de la marche. Elle réduit les risques cardiovasculaires de 31 % et ceux de décès (durant la période de l'étude) de 32 %, avec des bénéfices partagés à égalité entre femmes et hommes. Les bénéfices sont apparents même sur de courtes distances (moins de 9 km par semaine) et à une vitesse réduite (3 km/h en moyenne), mais pour ceux qui marchent plus longtemps ou plus vite (ou les deux à la fois), les bénéfices sont supérieurs. Différents travaux de recherche plus récents parviennent aux mêmes conclusions. En particulier, trois études publiées par la Harvard Medical School donnent les résultats suivants : pour un groupe témoin de 10 269 jeunes diplômés de sexe masculin, marcher au moins 15 kilomètres par semaine pourrait diminuer le taux de mortalité de 22 % ; chez un groupe de 44 452 professionnels de santé de sexe masculin, marcher au moins 30 minutes par jour pourrait diminuer le risque de maladie coronarienne de 18 % ; et enfin, pour un groupe de 72 488 infirmières, marcher au moins trois heures par semaine pourrait diminuer le risque d'infarctus de 35 % et celui d'attaque cérébrale de 34 %.

On pourrait arguer que toutes ces études sont de nature « observationnelle » (c'est-à-dire qu'elles démarrent avec un groupe de volontaires en bonne santé), et qu'elles sont par conséquent moins concluantes ou probantes que les essais cliniques aléatoires (ou randomisés). Cela dit, les essais cliniques aléatoires sur la marche parviennent aux mêmes résultats que les études observationnelles que nous venons de citer. Un exemple : dans une étude conduite durant dix ans sur un groupe de 229 femmes ménopausées, on assignait aux volontaires une marche d'au moins 1,5 kilomètre par jour ou au contraire pas d'activité (donc pas de marche).

À la fin de l'étude, pour le groupe des marcheuses, le risque de maladie cardiaque était inférieur de 82 % par rapport à celui de l'autre groupe. De surcroît, des essais cliniques aléatoires de réhabilitation cardiaque concluent que la marche peut aider celles et ceux qui ont déjà eu un problème cardiaque. Une méta-analyse de 48 essais cliniques aléatoires conduits sur 8 946 patients montre qu'une forme modérée d'exercice, comme marcher une demi-heure trois fois par semaine, conduit à une réduction de 26 % du risque de décès d'une maladie cardiaque et de 20 % du taux de mortalité en général. Les preuves des bienfaits physiques de la marche sont évidentes et irréfutables !

En raison de cela, et depuis plusieurs années, une pléthore de rapports officiels publiés par des organisations de santé publique et centres de recherche médicale met en avant l'idée que l'exercice modéré (dont la marche est le parfait exemple) est excellent pour la santé et par conséquent le « meilleur produit possible » pour la santé publique. Ils se réfèrent aux centaines d'études montrant que la pratique d'un exercice modéré génère d'innombrables bénéfices pour la santé, spécifiques et mesurables. Par exemple, une douzaine d'essais cliniques aléatoires prouvent que l'exercice physique (dont la marche) a un effet calmant sur la douleur chez les personnes souffrant de l'arthrose du genou. D'autres études suggèrent d'utiliser l'exercice physique comme thérapie pour accroître la capacité aérobique et la force musculaire chez les patients atteints de polyarthrite rhumatoïde et d'affections musculo-squelettiques, dont certains types de mal de dos. L'exercice contribue aussi à diminuer la pression artérielle chez les hypertendus, et à améliorer leurs niveaux de cholestérol et de triglycérides. Pour les hommes d'âge mûr qui ont déjà eu une crise cardiaque, l'exercice modéré réduit l'ensemble des causes de mortalité d'environ 25 % ou plus. Pour ceux qui ont du diabète, l'exercice (toujours modéré) diminue la valeur des taux HbA1c – le marqueur du contrôle glycémique – à des niveaux suffisamment bas pour en réduire les complications. Pour les patients souffrant d'une maladie pulmonaire obstructive chronique, l'exercice modéré permet de marcher mieux et plus loin. Il améliore aussi la force musculaire, les activités relatives à la mobilité, et l'humeur chez ceux qui souffrent de la sclérose en plaques. Il atténue même la fatigue des patients suivant un traitement anticancéreux. Un domaine émergent de la médecine appelé « oncologie de l'exercice » essaie d'ailleurs d'établir un lien entre l'exercice et le cancer. Quelques études observationnelles ont montré que les femmes victimes d'un cancer du sein qui marchent et pratiquent d'autres activités physiques régulières ont un risque de rechute et de mortalité plus bas que celui de femmes souffrant du même mal mais inactives. Elles ont aussi montré que la marche aide les malades cancéreux à mieux supporter les traitements de chimiothérapie et radiologiques. Aujourd'hui, de nouveaux essais cliniques aléatoires cherchent à prouver que l'exercice en général et la marche en particulier pourraient altérer la biologie d'une tumeur, inhiber ou ralentir sa croissance. Si ces recherches obtiennent des résultats probants, l'exercice et la marche feront un jour partie du traitement standard contre le cancer, aux côtés de thérapies conventionnelles comme la chirurgie, la radiothérapie ou la chimiothérapie.

On pourrait poursuivre longtemps cette démonstration, réitérant l'argument que le simple fait de marcher égale, et souvent surpasse, l'efficacité de nombreux médicaments. De multiples études en cours continuent d'affirmer, preuves scientifiques à l'appui, qu'un exercice doux ou modéré comme la marche agit bénéfiquement sur nos corps, d'une manière profonde mais souvent invisible.

Un bénéfice induit, mais capital, de la marche réside dans la capacité qu'elle nous donne de mieux contrôler notre poids. La marche permet de garder un équilibre entre les calories que nous absorbons à travers notre alimentation et les calories que nous dépensons par nos activités physiques. Pour donner un exemple, marcher sans effort durant une demi-heure nous permet de parcourir entre 2 et 2,5 kilomètres et de brûler environ 125 calories. Cela ne paraît peut-être pas beaucoup, mais si nous le faisons cinq jours par semaine durant un an, nous aurons consommé plus de 32 000 calories qui auront à leur tour brûlé plus de 5 kilos de gras. Des études scientifiques récentes montrent qu'on peut tirer d'encore plus grands bénéfices de la marche. Ainsi, si nous marchons huit heures au cours d'une semaine, il est possible de brûler un minimum de 2 000 calories. Certaines études parviennent à la conclusion que l'exercice peut en fait transformer les cellules adipeuses. Quand les chercheurs injectent une hormone produite durant et après l'exercice dans des cellules adipeuses humaines normales, ils observent que le gras blanc – métaboliquement paresseux et qui brûle peu de calories – exhibe progressivement des marqueurs moléculaires indiquant qu'il devient brun après avoir été exposé aux hormones produites par l'exercice. Le gras brun est métaboliquement actif et brûle davantage de calories, ce qui signifie qu'un exercice modéré comme la marche pourrait contribuer au bon fonctionnement du métabolisme en produisant une hormone qui « brunit » les cellules adipeuses. D'autres études parviennent à des conclusions semblables à travers d'autres protocoles. L'une d'entre elles en particulier conclut que l'exercice pourrait potentiellement altérer la composition des microbes intestinaux (le « micro-biome ») et ainsi favoriser la bonne gestion du poids sur l'ensemble d'une vie.

Il n'est jamais trop tard pour s'y mettre ! La marche procure des bénéfices à n'importe quel âge, et quel que soit l'âge auquel on commence. Plusieurs études montrent que les personnes qui commencent à pratiquer un exercice modéré comme la marche à 70 ans sont moins suscep-tibles de développer les problèmes cardiaques qui affectent 10 % des personnes âgées de plus de 80 ans. La vitesse de marche, d'ailleurs, est un bon indicateur de l'état physique général chez les personnes âgées. Un rythme de marche qui ralentit soudainement précède souvent l'hospitalisation ou l'invalidité. En revanche, un bon rythme de marche est signe de vitalité. En tout cas, continuer de marcher normalement le plus tard possible est la meilleure ordonnance « anti-vieillissement » possible. Personne ne peut arrêter l'horloge du temps, mais n'importe qui peut ralentir son tic-tac au travers de la marche. La raison ? De nombreux changements attribués à l'âge sont en réalité causés par la désuétude et l'inaction.

À la lumière de toutes ces recherches sur les bénéfices de la marche, il paraît évident qu'elle est notre meilleur antidote au mode de vie sédentaire qui prévaut aujourd'hui. Nous sommes assis à nos bureaux ou en face d'un écran pendant de trop nombreuses heures, ce qui est mauvais pour la santé et corrélé avec un accroissement du risque de mortalité. D'ailleurs, un article scientifique récemment publié par une équipe de Cambridge affirme que l'accroissement du risque de mortalité associé à une posture assise de huit heures par jour est neutralisé pour les personnes qui marchent une heure par jour (ou pratiquent une autre forme d'activité durant une heure). Lorsqu'on travaille dans un bureau, le simple fait de faire une pause de cinq minutes toutes les heures et d'en profiter pour marcher vers la machine à café ou vers d'autres horizons est bénéfique pour la santé.

La nouvelle discipline de l'épigénétique fournit d'autres preuves fascinantes et intrigantes, même si elles restent pour le moment très provisoires, des bénéfices pluridimensionnels de la marche. L'épigénétique de l'exercice physique, un domaine de recherche encore balbutiant, suggère qu'un choix de vie tel que la pratique d'un exercice physique peut conduire à des changements épigénétiques positifs pour des milliers de nos gènes. Pour comprendre ce point fondamental, quelques mots sur la science de l'épigénétique sont nécessaires. Il y a tellement d'espoirs placés dans ses promesses en médecine qu'elle est désormais considérée comme la « nouvelle » science génétique. Épigénétique signifie « au-dessus de la génétique » (*epi* en grec veut dire « au-dessus »). C'est l'étude des changements héréditaires dans la fonction des gènes ayant lieu sans altération de la séquence de l'ADN. Exprimé différemment, c'est l'étude des mécanismes biologiques qui permettent d'activer et de désactiver les gènes, qui découle de l'idée que nos cellules peuvent acquérir différentes propriétés quand on manipule l'épigénome (la multitude de composants chimiques qui instruisent le génome sur ce qu'il faut faire). Dans leur livre *Super-Gènes*, Deepak Chopra (un pionnier mondial dans le domaine de la médecine intégratrice) et Rudoph Tanzi (qui occupe la chaire de neurologie à l'université de Harvard) expliquent que nous ne sommes pas à la merci de nos gènes, mais capables (dans une certaine mesure) de les contrôler. Par conséquent, nos actions physiques et nos postures mentales, quand elles se produisent de manière régulière, affectent l'expression de nos gènes. Ils résument ce point fondamental en disant : « Vos gènes sont fluides, dynamiques et attentifs à tout ce que vous dites et faites. » Il ne pourrait y avoir de meilleur argument en faveur d'une activité physique modérée (comme la marche) ou un peu plus soutenue (comme le trek) : ces simples habitudes de vie ou changements (quand on s'y met) peuvent modifier l'expression de nos gènes et par conséquent améliorer notre santé physique et aussi notre sentiment de bien-être (l'objet du chapitre 3). Pour donner un exemple pratique, un exercice comme le trek change les profils de méthylation – qui contrôlent l'expression des gènes et peuvent jouer le rôle de médiateurs de communication entre l'environnement et le génome : l'un des domaines les plus étudiés et les mieux connus des modifications épigénétiques – avec des marqueurs qui diminuent ou même interrompent l'expression génétique tandis que d'autres font l'inverse. Pour dire cela le plus simplement possible, cela signifie que lorsqu'on marche (ou pratiquons une autre forme d'exercice physique), une séquence de changements complexes se produit durant laquelle les « commutateurs » sont fermés aux gènes pro-inflammatoires et ouverts aux gènes anti-inflammatoires. Ces changements conduisent à d'autres changements dans le génome des cellules adipeuses dont ils renforcent l'activité métabolique.

Comment marcher pour un bénéfice de santé maximal ? Prendre les escaliers, et si possible marcher en montagne.

Les 10 000 pas par jour sont devenus le mètre étalon des systèmes de monitorage d'activités des organismes de santé publique. Ce chiffre mantra vient du Japon, où juste avant les Jeux olympiques de 1964, une société japonaise avait produit un podomètre appelé *manpo-kei*, ce qui signifie « 10 000 pas ». Ce qui n'était d'abord qu'un slogan publicitaire, a fait son chemin. On nous martèle l'idée qu'il faut faire 10 000 pas par jour, ce qui représente environ 6 kilomètres qu'on peut parcourir entre une heure dix et une heure vingt quand on marche vite et entre une heure et demie et deux heures en marche lente.

Le seuil « magique » des 10 000 pas par jour n'a jamais été scientifiquement validé comme moyen de diminuer le risque de maladie. La simple vérité, c'est que plus on marche, mieux c'est ! N'importe quel type de marche est bon pour le corps, pourvu qu'il soit régulier. Marcher trente minutes par jour, cinq jours par semaine, semble être le minimum. L'OMS recommande au moins deux heures et demie d'exercice modéré par semaine pour engranger des bénéfices de santé et cinq heures d'exercice par semaine pour des bénéfices additionnels.

Si on opte pour des exercices vigoureux, comme courir ou marcher en montagne, mais sur une durée moindre, il est possible d'obtenir les mêmes bénéfices. Sur son site web, la Harvard Medical School recommande ceci : « Pour rester en bonne santé, marchez 30 à 45 minutes par jour. Faites-le d'un seul coup ou par intervalles de 5 à 10 minutes. Essayez d'adopter un pas rapide, de 4 ou 5 kilomètres par heure, mais souvenez-vous que même à un rythme plus lent, ce sera très bénéfique, à condition de maintenir la régularité. »

Quelles que soient la distance ou la rapidité, il est essentiel de marcher avec une posture correcte. Cela est vrai pour n'importe quelle activité ou n'importe quel sport, mais particulièrement important pour la marche car nous sommes en position debout permanente et devons par conséquent supporter le poids du corps tout entier. Il ne faut être ni trop penché en avant ni trop cambré, mais se redresser en ouvrant la cage thoracique et en ramenant les épaules en arrière. Cela permet de contracter les abdominaux et d'avoir le dos droit, donc d'éviter les douleurs lombaires. En gardant la tête droite, le dos droit et le menton relevé, on doit pouvoir marcher longtemps et sans effort.

Du point de vue de la santé et des bénéfices pour le corps, la meilleure manière de marcher est de monter. Prendre les escaliers, ou encore mieux : marcher en montagne. Cela permet, même à un rythme lent, de brûler deux à trois fois plus de calories que marcher d'un pas rapide à plat. Une étude réalisée à Harvard a conclu que les hommes qui montent l'équivalent d'au moins huit étages par jour bénéficient d'un taux de mortalité inférieur de 33 % par rapport à celui d'hommes sédentaires. En revanche, ceux qui marchent au moins 2 kilomètres par jour n'ont qu'un taux de mortalité inférieur de 22 % par rapport à celui d'hommes sédentaires. Cela signifie que nous devrions emprunter les escaliers à chaque fois que nous en avons l'opportunité.

LES POINTS CLÉS

1. La marche est une « panacée » et
un « médicament miracle » pour le corps.
2. Ses bénéfices en termes de santé
physique sont multidimensionnels.
3. N'importe quel type de marche
est bénéfique pour la santé…
4. … Mais la marche en montant
ou en montagne est la meilleure.

2

C'EST BON POUR LE CERVEAU

Je compte parmi mes clients quelques « patriarches » de grandes familles industrielles qui ont plus de 80 ans et restent jeunes d'esprit et incroyablement actifs sur le plan professionnel. Je leur pose toujours la même question : « Quel est votre secret pour rester aussi alerte, aussi performant d'un point de vue intellectuel ? » La réponse est invariablement la même : « Je marche. » La plupart d'entre eux marchent deux à trois heures par jour d'un pas vif ; tous les jours — sans considérer la pluie ou une météo défavorable comme des excuses. Ils savent que c'est bon pour leur physique, mais que c'est aussi un moyen essentiel pour stimuler leur cerveau et prévenir le déclin de leurs capacités cognitives et intellectuelles. Alvaro Pascual-Leone, un nom mondialement connu dans le domaine de la neurologie (qu'il enseigne à la prestigieuse université médicale de Harvard), leur donne raison : « L'exercice physique (dont la marche) est encore plus important pour le cerveau qu'il ne l'est pour le corps ! »

La chose est aujourd'hui bien établie. Au cours des dernières années, d'innombrables études en neurosciences et en médecine ont démontré sans équivoque que l'exercice physique en général, et la marche en particulier, est essentiel pour maintenir notre cerveau en bon état de fonctionnement. Depuis des siècles, nous savons qu'un corps en bonne santé est indissociable d'un cerveau en bonne santé (*mens sana in corpore sano* — un esprit sain dans un corps sain, disait déjà le poète romain Juvénal au II siècle), mais les découvertes plus récentes vont plus loin en prouvant que l'acte même de marcher modifie physiquement notre cerveau en favorisant la plasticité cérébrale (la capacité du cerveau de remodeler ses connexions), et en promouvant la création de nouvelles cellules cérébrales. Il permet aussi aux connexions cérébrales de mieux fonctionner. Des centaines d'études épidémiologiques concluent également que l'exercice physique léger, dont la marche, encore une fois, est un parfait exemple, protège notre cerveau de la déficience cognitive. D'une manière générale, cette fonction éminemment positive de la marche sur notre fonctionnement cérébral semble reposer sur deux contributions essentielles : la marche augmente le nombre de petits vaisseaux qui fournissent du sang, donc de l'oxygène, au cerveau ; la marche accroît le nombre de connexions que nos cellules nerveuses établissent entre elles.

Les spécialistes de la biologie évolutive et des neurosciences reconnaissent que nous sommes nés pour nous déplacer et que le mouvement précède la pensée et la conscience. On ne peut pas penser si on ne bouge pas car, selon la formule d'un célèbre neurophysiologiste, « ce que nous appelons pensée est l'internalisation évolutive du mouvement ». En effet, se déplacer constitue la source de notre vie mentale, comme le prouve le fait que seuls les organismes capables de se mouvoir disposent d'un cerveau. Un arbre, par exemple, ne requiert pas un système nerveux central car il ne va nulle part. Un animal, en revanche, en a besoin pour savoir comment se diriger et anticiper ses mouvements. L'ascidie de la mer illustre de manière exemplaire le fait que se déplacer et penser représentent les deux côtés de la même pièce. Ce petit animal marin commence sa vie comme une larve mobile équipée d'un cerveau très rudimentaire – une espèce de ganglion d'environ 300 neurones. Après une journée ou deux passées à nager entre deux eaux, l'ascidie trouve un endroit convenable sur le fond marin où elle décide de s'installer. Elle devient un organisme sessile (fixée à un support), et n'ayant dès lors plus besoin d'un cerveau, elle mange le sien ! N'est-ce pas la démonstration irréfutable que les actions de se déplacer et de penser sont imbriquées l'une dans l'autre ? Ou pousse-t-on le bouchon de la démonstration un peu trop loin ?

Aujourd'hui, un nombre croissant d'articles universitaires convergent pour prouver, ainsi que l'a résumé Gretchen Reynolds dans le *New York Times*, que « l'exercice physique modifie la structure et le fonctionnement de notre cerveau ». Des études réalisées sur des animaux et des êtres humains ont montré que l'exercice augmente en général le volume du cerveau et contribue à réduire le nombre et la taille de trous dans ses substances grise et blanche. L'exercice peut aussi augmenter la neurogenèse chez l'adulte, c'est-à-dire contribuer à la création de nouvelles cellules dans un cerveau « mûr ». Dans des études réalisées sur des animaux avec des tapis roulants, la pratique de la marche conduit au doublement ou triplement des neurones qui apparaissent dans l'hippocampe, la partie du cerveau responsable de l'apprentissage et de la mémoire. Les scientifiques estiment qu'un exercice physique identique aurait un impact similaire sur l'hippocampe d'un être humain. »

De multiples études démontrent aussi que la marche tempère, ou retarde, certains effets négatifs du vieillissement sur notre cerveau. En effet, la marche semble capable de ralentir, et parfois même d'inverser, les pertes de mémoire, la distractibilité et d'autres formes de déficit cognitif qui apparaissent avec le vieillissement. Comme d'autres formes d'exercice léger, la pratique de la marche a un impact bénéfique puisque rajeunissant sur la manière dont notre cerveau fonctionne. Pour la majorité d'entre nous, les fonctions cognitives commencent à décroître en termes d'efficience à partir d'environ 40 ans ; un phénomène auquel les spécialistes des neurosciences ont donné un nom : la « réduction hémisphérique asymétrique chez les adultes plus âgés » (avec l'acronyme HAROLD en anglais pour : *Hemispheric Asymmetry Reduction in OLDer adults*). Cela signifie que l'activité cérébrale nécessaire pour réaliser une tâche mentale particulière requiert davantage de capacité intellectuelle, ou d'effort cognitif, lorsque nous vieillissons que lorsque nous étions plus jeunes. Dit différemment : on ne réalise pas nos tâches mentales avec autant d'efficience lorsqu'on est âgé, car le cerveau traite l'information qu'il reçoit avec moins de clarté qu'auparavant. Différentes expériences prouvent cependant que le déclin cognitif n'est pas une fatalité car le fait d'être en forme physique améliore nos performances mentales au fur et à mesure que nous vieillissons. Des scanners du cerveau de personnes âgées qui entretiennent leur forme en marchant de manière régulière montrent que leur substance blanche (pour faire court : la partie interne du cerveau composée de fibres nerveuses qui connectent les neurones entre eux) révèle moins d'anomalies que celle de personnes de même âge, mais sédentaires. De plus, leur hippocampe (la part du cerveau responsable de la mémoire) tend à être plus grand que celui d'autres personnes du même groupe d'âge mais sédentaires, même s'il a déjà rétréci par rapport à celui de gens plus jeunes. Pour résumer : au fur et à mesure que l'on vieillit, marcher devient une activité essentielle pour maintenir notre cerveau le plus jeune et actif possible.

Dans de nombreux domaines du vieillissement, la science demeure encore balbutiante ; mais un nombre croissant de chercheurs en neurosciences et en médecine sont désormais convaincus que la marche peut aussi retarder l'apparition des maladies de démence sénile, en particulier de type Alzheimer (dont l'incidence pourrait tripler au cours des trente prochaines années avec le vieillissement de la population), surtout dans les phases de déficience cognitive légère. Une étude réalisée sur vingt ans et publiée en 2010 a conclu que marcher simplement 8 kilomètres par semaine pourrait protéger sur une durée de dix ans la structure cérébrale de personnes atteintes des premiers symptômes de la maladie d'Alzheimer. Deux années plus tard, en 2012, une autre étude a corroboré ces conclusions, démontrant que la marche, même lorsqu'elle est pratiquée de manière modérée, peut ralentir voire stopper la détérioration cognitive parmi les personnes victimes d'une forme légère de la maladie d'Alzheimer. Cette étude a montré qu'on constatait parmi ceux qui marchaient plus de deux heures par semaine une amélioration importante lors de tests d'aptitudes cognitives ; *a contrario*, on observait une régression parmi les patients sédentaires. Le lien de cause à effet demeure obscur, mais les chercheurs pensent que la dépense calorique occasionnée lors d'un exercice physique (quelle que soit son intensité) pourrait être bénéfique pour le cerveau en réduisant les phénomènes inflammatoires et en diminuant les problèmes vasculaires. Des scanners du cerveau montrent qu'être actif, en marchant, en dansant ou en jardinant, lorsqu'on est âgé, accroît de manière significative le volume de substance grise, composée essentiellement de neurones, et auquel on associe habituellement un cerveau en « meilleure santé » ou en « meilleure forme ».

L'université médicale de Harvard recommande sur son site Internet cinq mesures destinées à réduire la probabilité d'être victime de la maladie d'Alzheimer. Trois d'entre elles sont directement reliées à la marche : se maintenir à un poids normal, être particulièrement attentif à la masse graisseuse située sur sa taille, pratiquer régulièrement une forme d'exercice physique. On peut imaginer que les deux autres, se nourrir convenablement, et garder un œil sur les indicateurs de santé, sont aussi étroitement corrélées avec la marche : en général, plus on marche, plus on a tendance à bien se nourrir et à faire attention à sa santé. Pour résumer : la marche, si elle est accompagnée d'une nourriture saine (c'est-à-dire d'une nourriture riche en légumes et acides gras de type oméga 3, et pauvre en acides gras saturés et en glucides raffinés comme le sucre blanc), peut accomplir des miracles sur le vieillissement du cerveau en ralentissant, et parfois même en inversant, notre déclin cognitif.

Au-delà de cette capacité de traiter quelques-uns des effets débilitants liés au vieillissement, il semblerait que marcher permette aussi de modifier de manière positive nos émotions et nos humeurs. Ainsi, la marche est aujourd'hui prescrite comme traitement pour atténuer les symptômes de la dépression, dont elle peut aussi retarder la manifestation. Un examen de différents travaux scientifiques réalisés depuis les années 1980 démontre que la pratique régulière d'un exercice physique comme la marche peut améliorer l'humeur de personnes victimes de formes légères de dépression. Pour celles et ceux qui souffrent d'un état dépressif plus sévère, la marche peut jouer un rôle de support dans l'arsenal thérapeutique habituel.

Une étude réalisée en 2005 a ainsi établi que la marche rapide durant environ une demi-heure cinq fois par semaine ou une heure trois fois par semaine exerçait un effet positif sur les symptômes dépressifs de faible ou moyenne intensité. Comment cela s'explique-t-il ?

Les tests sanguins révèlent que la marche réduit d'une manière significative différents marqueurs de l'inflammation et augmente aussi un certain nombre d'hormones et de produits biochimiques qui contribuent à la santé du cerveau. Depuis de nombreuses années, les experts et les chercheurs savent que la marche (comme d'ailleurs d'autres formes d'exercice) renforce les effets positifs des endorphines. Leur rôle important, pour améliorer de manière naturelle nos défenses immunitaires et réduire la perception de la douleur, était connu depuis longtemps, mais leur effet bénéfique sur nos humeurs et notre moral est une découverte plus récente. Une autre théorie suggère que la marche joue un rôle stimulant sur un neurotransmetteur, la norépinephrine, qui pourrait améliorer directement nos humeurs.

Si le rythme de progression actuel se maintient, la dépression devrait devenir en 2030 la deuxième cause de maladie dans le monde, et la première dans les pays les plus développés. Cela rendra la recherche de traitements « doux » et accessibles à tous (car sans aucun coût ni pour la personne ni pour la sécurité sociale) encore plus nécessaire qu'elle ne l'est aujourd'hui. Aller marcher, tout simplement, offre la possibilité de relever ce défi. Dans un futur plus proche qu'on ne l'imagine, la marche servira de complément, et parfois même de remplacement, aux traitements médicamenteux à base d'antidépresseurs.

Où marcher pour un bénéfice cognitif maximal ?

Dans la nature plutôt qu'en ville ! On le sait depuis des siècles, mais un corpus abondant de recherches en neurosciences, en psychologie et en médecine prouve aujourd'hui de manière incontestable que marcher dans la nature modifie le fonctionnement de notre cerveau d'une manière qui améliore ses capacités cognitives et notre santé mentale. En revanche et comme on pourrait s'y attendre, différentes expériences concluent que marcher le long d'une route bruyante n'exerce pas le même effet positif. D'une manière générale, le fait de ressasser des idées noires, la « rumination morbide », un signe avant-coureur de la dépression, est beaucoup plus commun parmi les gens qui vivent en ville que parmi ceux qui sont à la campagne. Des résultats de scanners cérébraux montrent que marcher dans la nature réduit les flux sanguins vers le cortex préfrontal subgénual, une zone du cerveau qui régule nos émotions négatives et qui, lorsqu'elle est activée, est associée à la rumination d'idées noires. Si cette rumination persiste pendant un certain temps, la dépression peut s'installer. Une réaction consisterait à sortir dans la nature afin d'y marcher le plus longtemps possible. Les études conduites en psychologie et en neurosciences ne tranchent pas sur le temps nécessaire à passer dans la nature, ni sur les territoires naturels les plus propices à notre santé mentale, mais le calme, l'ensoleillement, la verdure et des odeurs agréables semblent constituer les ingrédients nécessaires pour nous remonter le moral, ou tout simplement nous mettre de bonne humeur. Une forêt ou un jardin en ville feront l'affaire. Ensuite, le fait d'être seul ou en compagnie de quelqu'un ne semble pas influer sur l'amélioration de notre humeur.

Les bénéfices d'une immersion dans la nature sont connus depuis des temps immémoriaux, mais la pratique de la marche en forêt, ou en tout cas parmi les arbres, est beaucoup plus récente. Elle gagne beaucoup de terrain parmi les partisans du bien-être et a désormais un nom : la « baignade forestière ». Cette pratique est originaire du Japon, où les effets positifs de la marche en forêt, en particulier sur la diminution de l'anxiété, sont documentés depuis très longtemps et ont même donné lieu en 1982 à un programme national de santé publique dénommé *shinrin-yoku* (littéralement : « prendre l'atmosphère de la forêt »). Le gouvernement japonais a ainsi labellisé des douzaines de chemins forestiers à vertu thérapeutique après que des expériences médicales ont conclu que la marche en forêt diminue la pression artérielle et le niveau de cortisol (l'hormone du stress) tout en promouvant l'activité du nerf parasympathique (le système nerveux qui contrôle le système de repos et de digestion) et en diminuant celle du nerf sympathique (qui gouverne les réactions de lutte ou de fuite). Pour résumer : la baignade forestière réduit le stress et l'anxiété, mais ses effets positifs s'étendent au-delà du cerveau. Elle semble en effet renforcer l'expression des protéines responsables de la lutte contre les cellules cancéreuses : plusieurs articles récemment publiés dans des revues médicales suggèrent qu'après deux nuits passées en forêt, le niveau de globules blancs tueurs de cellules cancéreuses augmente d'environ 50 %. Les raisons pour lesquelles être parmi les arbres est si bénéfique pour le cerveau demeurent inconnues, mais les chercheurs supposent que cela est en lien avec les phytoncides : des molécules excrétées par les arbres et d'autres plantes afin de se protéger des germes et de certains insectes. L'air de la forêt, en vertu de sa fraîcheur et de sa pureté, pourrait ainsi contribuer à une meilleure activité cérébrale, et aussi améliorer nos capacités immunitaires en nous permettant d'inhaler ces phytoncides.

En rendant nos cerveaux plus réceptifs et plus « plastiques », la marche nous prépare à mieux naviguer dans le présent et à mieux préparer l'avenir. En ayant un effet positif sur le cerveau, elle devrait aussi apaiser nos esprits et éveiller nos sens, ce qui nous amène au chapitre suivant.

<u>LES POINTS CLÉS</u>

1. La marche a un effet bénéfique sur le cerveau.

2. Elle joue un rôle important pour contrer le déclin cognitif associé à l'âge.

3. La marche est un antidépresseur efficace.

4. Pour un bénéfice cognitif maximal, il vaut mieux marcher dans la nature.

3

C'EST BON POUR L'ESPRIT

« Un matin, l'envie me prenant de faire une promenade, je mis le chapeau sur la tête, et en courant, quittai le cabinet de travail ou de fantas-magorie pour dévaler l'escalier et me précipiter dans la rue. Pour autant que je m'en souvienne, je me trouvai, en débouchant dans la rue vaste et claire, d'une humeur aventureuse et romantique qui m'emplit d'aise.

Le monde matinal qui s'étalait devant moi me parut si beau que j'eus le sentiment de le voir pour la première fois. Tout ce que j'apercevais me donnait une agréable impression d'amabilité, de bonté et de jeunesse. J'oubliai bien vite qu'un moment auparavant, dans mon bureau, là-haut, je ruminais des pensées lugubres devant une feuille de papier vide.

La tristesse, la souffrance et toutes les idées pénibles avaient comme disparu.[2] »

Même s'ils sont imbriqués l'un dans l'autre, il reste une part de mystère dans l'effet que la marche a sur le corps et l'esprit. Nicolas Bertrand, un ami et client, dirigeant de Micromania (une société de jeux vidéo et de consoles) avec qui je pars régulièrement en montagne, dit la chose suivante à propos de la marche : « Elle me libère d'abord le corps, puis l'esprit. » Je cite Nicolas car ce n'est peut-être pas un hasard qu'un dirigeant d'une société ancrée dans l'économie digitale qui produit des biens dématérialisés nourrisse une telle passion pour la montagne et tout ce qu'elle permet (la marche, l'alpinisme, l'escalade, le ski…). J'y reviendrai. Afin de rendre la lecture plus facile, j'ai artificiellement séparé le corps du cerveau et le cerveau de l'esprit : les trois sont bien entendu différents, mais indissociables

---

2. Robert Walser, *La Promenade*, coll. L'Imaginaire (n° 541), 2007, éd. Gallimard.

car entrelacés comme les rubans d'une tresse. L'ancienne médecine grecque et romaine, ainsi que les médecins indiens ayurvédiques reconnaissaient déjà le lien entre la santé et les émotions. Aujourd'hui, nous commençons tout juste à comprendre les fils invisibles qui relient l'esprit, le corps et le cerveau, estompant les limites qui les séparent. En bref : bien que l'esprit, et les émotions qu'il génère, ne puisse directement causer ou guérir les maladies, ses mécanismes biologiques sous-jacents peuvent néanmoins contribuer à leur apparition, aussi bien qu'à leur guérison. Par exemple, notre mémoire affective peut interagir avec la partie du cerveau qui contrôle les réactions hormonales liées au stress, affectant potentiellement le système immunitaire et contribuant ainsi à l'apparition de maladies aussi différentes que l'arthrose ou le cancer. De la même manière et dans l'autre sens, des signaux émanant du système immunitaire peuvent affecter le cerveau et l'esprit au travers de réponses émotionnelles.

Parce qu'ils se chevauchent, on a parfois tendance à utiliser les mots « cerveau » et « esprit » de manière interchangeable, mais en réalité ils se réfèrent à deux notions distinctes. Le cerveau est un organe physique, ce que l'esprit n'est pas. D'autre part, bien qu'on puisse prétendre que l'esprit réside dans le cerveau, ou émane du cerveau, la science ne permet pas de le localiser quelque part dans notre corps. Le cerveau est quelque chose de visible et de tangible : une espèce de « pièce de commandement et de contrôle » qui transmet des impulsions au travers de signaux électriques coordonnant les mouvements, l'activité et le fonctionnement général de notre organisme. Grâce aux signaux sensoriels émis par le corps, il est maintenu continuellement informé de notre état et de celui de nos organes internes — comment notre cœur bat, quel est notre niveau de pression artérielle et ainsi de suite. Par contraste, l'esprit est invisible et intangible, l'expression de ce qui se passe au sein de notre cerveau. Il est associé au monde transcendant de la pensée, et par conséquent à nos émotions, à nos impressions, à nos croyances, à notre imagination… L'esprit est la quintessence de ce qui nous rend humains puisque c'est de lui que dépendent les processus de pensée et la prise de conscience. C'est devenu un cliché de comparer le cerveau à du *hardware* et l'esprit à un *software* particulièrement élaboré, mais notre conscience excède en termes de complexité, et par-dessus tout de sophistication et de finesse, tout ce qui pourrait être téléchargé sur une forme avancée de robot – l'équivalent du cerveau –, aussi avancé soit-il. Nous sommes avant tout des êtres biologiques, dont l'existence et les expériences sont fondamentalement ancrées dans le rapport à la nature et le désir impérieux de vivre. À cet égard, marcher nous aide à matérialiser l'expérience de la conscience, qui est d'abord l'expérience et la perception du monde autour de nous à travers la vue, les bruits, les odeurs ; avant d'évoluer dans l'expérience d'être nous-mêmes, la conscience de soi. C'est à ce moment-là que l'introspection et l'imagination deviennent ses deux composantes essentielles. Or la marche stimule les deux.

Dans la religion, il existe un lien fort entre la réflexion, ou l'introspection, et la progression physique (à pied), autrement dit : une connexion reconnue entre la marche et l'esprit. Depuis des temps immémoriaux, les religions ont mis l'accent sur l'importance de la marche, dont la valeur symbolique est omniprésente dans la plupart des confessions. Peut-être est-ce dû au fait que placer un pied devant l'autre est l'essence même de la répétition – un aspect essentiel de n'importe quel rituel (les rites prennent forme en « répétant ») et une pratique qui a force sacrée dans toutes les religions. Pour les juifs, *Halakhah*, un ensemble de règles et de rituels concernant tous les aspects de la vie et donnant une dimension religieuse aux activités quotidiennes, se traduit littéralement par « le chemin qu'on parcourt », un mot dérivé de la racine hébraïque *Hei-Lamed-Kaf*, qui signifie « aller, marcher ou voyager ». La marche imprègne aussi la culture catholique, ses croyances et ses coutumes. Le chemin de croix en est la manifestation la plus patente, avec la progression du Christ vers le calvaire, pas à pas, métaphore de la préparation mentale à la souffrance de la crucifixion qui s'annonce. La tradition médiévale de la déambulation méditative au sein du cloître ou le rôle des grands chemins empruntés par les pèlerins au cours des siècles (comme le chemin de Saint-Jacques-de-Compostelle) témoignent de l'importance de la marche dans la tradition catholique. Pour les musulmans aussi bien que pour les catholiques, marcher vers un lieu de culte constitue un acte religieux en soi. L'essence même du pèlerinage réside d'ailleurs dans le sens de la progression vers une destination particulière, couplé avec la réflexion et la prière qui l'accompagnent. Dans le Coran, il est écrit : « Ceux qui recevront la plus grande récompense pour leur prière sont ceux qui parcourront la plus grande distance pour venir prier. » Pour les hindous, le rituel de la « marche sur le feu » représente un acte de purification, de guérison et de foi. Dans le *Sutra du Lotus*, un texte canonique à partir duquel de nombreuses écoles bouddhistes furent établies, Bouddha est décrit comme une créature respectée qui marchait sur deux pieds, « [il était] particulièrement aimé car il savait comment profiter d'une belle marche ». La marche est d'ailleurs une importante forme de méditation chez les bouddhistes, même si cela dépasse le cadre strictement religieux. Ce n'est pas un hasard si dans toutes les religions la marche sous-tend la prière et la méditation, et que le rythme lancinant des psaumes et des intonations fait écho au rythme des pas qui s'enchaînent l'un après l'autre. Cette fusion des mondes physique et spirituel souligne l'harmonie de la relation entre le corps et l'esprit, rendant la présence terrestre plus palpable. En ancrant nos corps dans la terre, la marche libère notre esprit et lui permet de s'aventurer ailleurs.

Le fait que la marche soit enracinée dans la plupart des religions renforce sa dimension spirituelle, suggérant qu'elle doit aussi jouer un rôle sur l'état de pleine conscience : une source additionnelle de plaisir et de satisfaction quand on marche. Le lien de causalité, entre pleine conscience d'une part et plaisir et satisfaction d'autre part, fonctionne dans les deux sens : marcher favorise l'état de pleine conscience, qui à son tour renforce les effets positifs de la marche, notamment sur notre état d'esprit. Aujourd'hui la « pleine conscience » est à la mode :

c'est devenu une expression populaire, souvent utilisée à tort et à travers, associée à la méditation, à la spiritualité et au yoga, mais qui découle directement de l'esprit (en anglais : *mindulfulness*, dérivé de *mind*, « l'esprit »). Les psychologues la définissent comme une « attention contrôlée », ou un effort délibéré pour « être conscient de ce qui se passe dans le moment présent » en termes de pensées, d'émotions, de sensations corporelles et de perception de notre environnement. De manière beaucoup plus simple, « pleine conscience » rime avec « faire attention », ou encore mieux : « faire attention à une chose à la fois », c'est-à-dire « être concentré ». La pleine conscience implique un sentiment d'acceptation : on doit être à l'écoute de nos pensées et de nos émotions sans pour autant les juger, sans croire qu'il existe une façon « juste » ou « fausse » de penser ou d'éprouver une émotion particulière à un moment quelconque. Quand nous sommes en pleine conscience, nos pensées sont à l'écoute de ce que nous éprouvons à l'instant présent, plutôt que de ressasser le passé ou d'imaginer l'avenir. La pleine conscience prend ses racines dans la méditation bouddhiste, mais sa pratique « séculaire » date des années 1990. Des entreprises, des écoles, des hôpitaux, des prisons et beaucoup d'autres organisations ont alors commencé à saisir la pleine conscience à bras-le-corps en raison des bénéfices physiques, psychologiques et sociaux qu'elle est supposée offrir, avec des programmes de réduction du stress basés sur la notion de pleine conscience (*MBSR – Mindfulness-Based Stress Reduction*) devenue l'outil indispensable. À l'ère du digital, la pleine conscience, dans le sillage du yoga et de la méditation, est devenue un business à part entière de plusieurs milliards de dollars. Sa marchandisation la rend accessible à tous, disponible à tout moment sur nos portables. Il existe aujourd'hui des centaines d'applications supposées l'améliorer, mais sans preuve aucune de leur utilité. On peut acheter en ligne « La pleine conscience en une minute : 50 manières simples de trouver la paix, la clarté et de nouvelles possibilités dans un monde stressé » et un nombre quasi-infini de produits similaires prétendant nous offrir l'accès à la pleine conscience en une minute ou moins. Le hic, c'est qu'on ne peut pas acheter la pleine conscience, pas plus qu'on ne peut acheter le bonheur. Il n'y a rien d'instantané dans sa vraie nature, car c'est davantage une progression ou un voyage dans lequel nous sommes invités à nous engager d'une manière comparable à celle d'un départ pour une longue promenade ou un trek. On peut ainsi penser la marche comme une source naturelle de pleine conscience. Que pourrait-il y avoir de plus simple, de moins cher et de plus efficient que la marche comme chemin vers la pleine conscience ? En marchant, on la pratique sans trop y penser (ou même sans y penser tout court !) tout en engrangeant ses bénéfices. L'état de pleine conscience vient alors spontanément : il suffit de prêter attention aux odeurs, aux bruits, aux sensations, aux paysages, qui activeront différentes synapses dans notre cerveau et revitaliseront notre esprit. Différents travaux de recherche en médecine et en neurosciences montrent que l'état de pleine conscience joue un rôle important en rendant la pratique de la marche (ou d'autres formes d'exercice) plus gratifiante. Plusieurs enquêtes dans lesquelles les marcheurs en pleine conscience déclarent éprouver un sentiment de satisfaction accru corroborent ces résultats. Tout cela suggère qu'elle est un amplificateur ou accélérateur de satisfaction. Quelques chercheurs prétendent même qu'elle « facilite l'acceptation des choses telles qu'elles se présentent », nous rendant capables « d'accepter des expériences négatives et de les percevoir comme étant moins menaçantes ». Cela nous amène au point suivant : la marche en pleine conscience offre un chemin direct mais subtil vers la pensée positive.

Puisque les humeurs négatives semblent être associées à une vulnérabilité physique accrue avec même le pouvoir de déclencher certaines maladies, il est raisonnable de supposer qu'une humeur optimiste – la joie, le bonheur, la satisfaction – fait l'inverse. Si c'est le cas, l'impact du sens d'émerveillement pourrait être particulièrement puissant. L'émerveillement, ou l'admiration, a un sens différent selon les personnes : c'est une notion vague et éminemment subjective, mais il ne fait aucun doute que nous reconnaissons tous un événement inspirant, magnifique ou impressionnant lorsque nous en faisons l'expérience (en général, il passe le test de la « chair de poule »). Les universitaires définissent l'émerveillement comme le sentiment que nous éprouvons en présence de quelque chose qui nous dépasse et qui souvent remet en cause notre façon de voir le monde. On peut faire l'expérience de l'émerveillement devant un tableau ou une œuvre d'art, en écoutant de la musique ou un discours, en regardant un film ou une photographie, en admirant un paysage, et de bien d'autres manières encore. La liste d'expériences époustouflantes est sans fin ! Marcher dans la nature ou même en ville nous met dans un état propice à l'émerveillement car au cœur de cette expérience, il y a le sentiment de notre propre petitesse. Ce n'est pas une petitesse qui suscite la rancœur, provoque une espèce de honte ou nous fait douter de nous-mêmes, mais plutôt une impression de profonde communion avec les autres et la nature, qui élargit nos horizons et augmente notre compréhension des choses, comme si une caméra effectuait un zoom arrière pour nous révéler une image du monde soudainement plus complexe, inclusive et bienveillante. Certains travaux en psychologie suggèrent que le sentiment d'émerveillement confère de nombreux avantages, comme celui d'accroître la satisfaction de vivre, de donner une impression que le temps ralentit (un point essentiel sur lequel nous reviendrons dans le chapitre 5), et d'une plus grande propension à être en empathie et à vouloir aider les autres. De surcroît, il peut nous aider à mieux gérer le stress en promouvant la curiosité et l'engagement, plutôt que l'isolation et le désengagement. L'émerveillement peut même avoir d'importants bénéfices en termes de santé. Une étude menée pas Dacher Keltner, professeur de psychologie à l'université de Berkeley, a montré que les personnes avec de plus fortes capacités d'émerveillement que la moyenne avaient de moindres concentrations tissulaires d'interleukine-6 (une cytokine pro-inflammatoire associée à un risque plus élevé de problème cardiaque). Ce qui paraît remarquable, c'est que l'émerveillement provoque des niveaux plus bas d'interleukine-6 que d'autres émotions positives comme la joie, le contentement et l'amusement. Pourquoi, face à une telle somme d'évidences, ne pas partir pour une promenade susceptible de nous émerveiller ? Cela réveillera nos sens, boostera notre moral, et accessoirement notre santé. Pour trouver une balade source d'émerveillement, il n'est pas nécessaire d'aller au bout du monde à la recherche de paysages exceptionnels et de cultures inconnues (bien que cela soit une source facile d'émerveillement si on dispose du temps et de l'argent nécessaires). En réalité, la capacité de s'émerveiller dépend de nous. C'est notre attitude et notre manière de voir les choses qui créent les conditions propices à l'émerveillement, que ce soit dans la nature, une ville ou un musée. Si cela semble aussi simple, c'est que ça l'est ! La seule exigence qu'une « marche d'émerveillement » nous impose, c'est d'observer ce qui nous entoure avec un regard nouveau, de redécouvrir un lieu connu comme si c'était la première fois, de s'extasier une fois encore face à un paysage grandiose qu'on a déjà vu mille fois : c'est cela la capacité d'émerveillement. Thérèse Robache en fournit un remarquable exemple. Dans un livre qu'elle a préfacé, *Le Mont-Blanc vu par les peintres*[3], elle écrit : « Depuis plus de cinquante ans que je contemple journellement le Mont-Blanc, je n'ai jamais ressenti ni lassitude ni sentiment de déjà-vu. » N'est-ce pas extraordinaire ? Elle a réussi à transmuer une émotion qui aurait pu devenir banale (même s'il s'agit d'une vue époustouflante) en un émerveillement quotidien, prouvant ainsi qu'on fait l'expérience de l'émerveillement quand on transforme quelque chose d'ordinaire – un nuage, la couleur du ciel, une fleur, un paysage – en quelque chose d'extraordinaire. La plupart des choses qui nous entourent, familières et moins familières, ont le potentiel de nous émerveiller si nous sommes capables d'aller les chercher en marchant, déambulant, flânant… On ne peut le faire qu'en étant totalement présent, et c'est en cela que réside le lien étroit entre l'état de pleine conscience et la capacité d'émerveillement : on ne peut s'émerveiller en étant distrait.

---

3. Jacques Perret et Loïc Lucas, *Le Mont-Blanc: Vu par les peintres*, Éditions du Belvédère.

Quand on passe des journées entières dans un bureau, ce n'est souvent pas possible de marcher en pleine conscience (l'environnement ne s'y prête pas) et encore moins de partir faire une balade susceptible de nous émerveiller. Il ne faut pas désespérer pour autant ! Même une balade courte et sans conséquence peut nous aider à voir le bon côté de la vie, à mieux combattre le stress et à améliorer nos facultés mentales. Une étude récente a comparé l'humeur, l'énergie et l'état d'esprit d'employés de bureau quand ils ne quittent pas leur chaise durant six heures avec une activité physique réduite au minimum. La conclusion est la suivante : marcher plusieurs fois quelques minutes durant la journée a un effet positif quantifiable. Les employés qui marchent un peu chaque heure ont un niveau de satisfaction plus élevé, sont moins fatigués et éprouvent beaucoup moins le désir de grignoter. Leur sensation de vigueur augmente aussi au cours de la journée. Selon les auteurs de l'étude : « Même un tout petit peu d'activité répartie durant la journée est une manière pratique et facile d'améliorer son bien-être. » Ces conclusions sont corroborées par une autre étude montrant que les gens qui bougent fréquemment ont un niveau de satisfaction supérieur à celui des personnes qui passent une majorité de leur temps assises. Au stade actuel de la recherche, il est impossible d'établir la nature du lien de causalité (être actif rend-il plus heureux ou la joie et le bonheur nous incitent-ils à bouger davantage ?), mais ce qui émerge sans l'ombre d'un doute, c'est que bouger et être heureux sont étroitement corrélés, aussi bien à court qu'à long terme. Selon l'un des chercheurs : « Les gens qui sont généralement plus actifs sont généralement plus heureux, et durant les moments où les gens sont plus actifs, leur niveau de satisfaction augmente. »

Marcher a ce pouvoir extraordinaire de transmuer une humeur négative en énergie positive, la tristesse en joie, le malheur en bonheur. Comme le montre si bien la citation au début du chapitre, Robert Walser avait compris cela en 1917, presque cent ans avant que la science ne puisse expliquer pourquoi. Il n'y a rien d'autre dans l'exaltation du personnage principal de *La Promenade* que l'extraordinaire pouvoir de transmutation de la marche.

Que demander de plus ?!

La raison d'aller marcher en montagne

Un jour, le naturaliste américain John Muir s'exclama : « Les montagnes m'appellent et je dois y aller. » Peu de paysages saisissent les contradictions de notre planète avec autant d'harmonie que les montagnes. Arpenter les montagnes exerce un effet puissant sur l'esprit en raison de leur profonde ambivalence : elles sont souvent hostiles, sauvages, imprévisibles, dangereuses et sans merci ; pourtant leur beauté et leur majesté nous inspirent une sensation de calme, de sérénité, parfois de plénitude, affûtant nos sens et nos capacités d'émerveillement. Les montagnes nous attirent et nous éblouissent dans un maelstrom d'émotions : troublantes, inquiétantes et écrasantes dans leur démesure et leur sévérité ; mais aussi réconfortantes et bienveillantes : on s'y retire pour réfléchir, méditer ou prier, et même parfois pour s'y réfugier. Quand on marche ou quand on grimpe en montagne, on a le sentiment d'un apprentissage, car elles deviennent alors familières, comme si elles s'adaptaient doucement à nous. Arrivés au sommet (ou au col), nous regardons vers le bas. Le monde tout entier a alors rapetissé, et malgré le sentiment de notre fragilité et de notre relativité, nous avons fait ce monde nôtre, pour un instant.

Les chiffres du tourisme dans le monde montrent qu'un nombre croissant de personnes éprouve le désir de marcher en montagne. Peut-être est-ce pour la raison suivante : plus le monde devient digital et virtuel, plus notre appétit pour la nature augmente, et en particulier pour ce qu'elle a de plus sauvage et de plus indomptable. Les montagnes représentent la plus pure expression de ce désir (certains diront cela de la mer, mais les désirs de mer et de montagne ne sont pas incompatibles). Les montagnes évoquent des forces qui nous dépassent et posent des questions fondamentales sur notre importance et pertinence dans le monde. Elles nous obligent à repenser notre identité et notre place dans le monde, nous forçant à davantage de modestie. Les montagnes nous questionnent et élargissent nos horizons mentaux d'une manière dont peu d'autres topographies sont capables.

LES POINTS CLÉS

1. La marche stimule l'introspection et l'imagination.
2. La marche aide à combattre le stress.
3. La marche améliore notre capacité de concentration.
4. La marche favorise l'état de pleine conscience.

4

C'EST BON POUR LA
PRISE DE DÉCISION

Si la marche est aussi bénéfique pour la « trinité » corps – cerveau – esprit, il doit s'ensuivre qu'elle est aussi bonne pour « mieux » penser, le prélude indispensable à une bonne décision. Pour les personnes dont le métier consiste à prendre des décisions stratégiques, politiques ou d'investissement importantes, toute idée ou « technique » susceptible d'améliorer le cheminement qui amène à la meilleure décision possible vaut de l'or. Dans cette incessante quête du Graal, la marche figure en bonne place. En 2015, j'avais organisé dans le massif du Mont-Blanc un séminaire sur la stabilité du système financier international avec Adair Turner, l'une des sommités mondiales dans ce domaine. Alors que nous marchions, Adair (un lord britannique) m'avait confié : « C'est vrai qu'en marchant, on pense plus clairement, et qu'on prend par conséquent de meilleures décisions. » La science est désormais en mesure de nous expliquer pourquoi Adair (et tant d'autres) avait raison.

Il est facile d'établir des comparaisons entre la marche et la prise de décision : toutes deux démarrent par un premier pas – littéralement dans le cas de la marche et métaphoriquement pour la prise de décision. Ensuite, chacune génère son propre rythme, un pas l'un après l'autre, et de nouveau, et encore… C'est évident lorsqu'on marche, mais sans doute un peu moins lorsqu'on prend une décision. Pourtant, nos meilleures décisions, ou celles qui revêtent une importance particulière, sont toujours prises après mûre considération, un pas « cognitif » après l'autre, jusqu'à ce que nous trouvions le bon rythme de pensée. La marche et la prise de décision consistent aussi à se frayer un chemin. Réfléchir à une décision particulière équivaut souvent à traverser un dédale mental, à progresser dans un paysage conceptuel ardu, qui nous achemine petit à petit à un endroit d'où on verra enfin avec clarté la « solution » ou la décision la plus appropriée. D'une certaine manière, marcher consiste à organiser le monde autour de soi : on choisit un chemin ou un itinéraire, puis notre cerveau scanne l'environnement à partir duquel on construit une carte mentale que l'on traduit ensuite en une série de pas. De façon presque identique, le processus de prise de décision amène le cerveau à considérer différents itinéraires conceptuels avant de choisir celui qui paraît le plus approprié : c'est le « cheminement de la pensée » ! Comme lorsqu'on réfléchit, la découverte d'un paysage particulier quand on marche déclenche toutes sortes de pensées et d'associations, mettant en branle un processus de créativité et générant de nouvelles idées. Nos pas physiques et mentaux sont en réalité beaucoup plus interdépendants qu'on ne l'imagine. Peut-être le philosophe Lao Tseu avait-il cela en tête lorsqu'il observa qu'« un voyage de plusieurs milliers de kilomètres commence toujours par un premier pas ».

La marche permet de réfléchir avec une totale liberté et une agilité sans égale ; c'est en cela qu'elle renforce nos capacités de prise de décision. Non seulement elle recharge nos batteries en termes d'énergie physique et mentale – une condition *sine qua non* pour faire de meilleurs choix, mais elle nous aide aussi à décharger notre « fardeau cognitif ». La lourdeur de ce dernier, par rapport aux ressources cognitives limitées dont nous disposons en tant qu'êtres humains, finit par affecter notre capacité de penser avec clarté, et nous empêche souvent de prendre la décision adéquate. Nous le savons parce que nous avons posé la question ! En privé, de très nombreux responsables politiques ou de grandes entreprises confessent que la complexité croissante du monde et les innombrables contraintes auxquelles ils sont soumis rendent leur tâche extrêmement difficile, pour ne pas dire impossible. Ma société, Le Baromètre Mensuel, basée à Chamonix, a pour but d'aider les décideurs de tout poil – des investisseurs, des grands patrons, des hommes et femmes politiques – à prendre des décisions complexes et parfois fondamentales dans un environnement extraordinairement compliqué, volatil et incertain. Je suis désormais convaincu d'une chose : une grande majorité de ces décideurs qui n'ont pas une minute à eux passent à côté d'une solution simplissime : sortir marcher avant de prendre une décision importante. « Ça marche ! » Aussi simple que cela puisse paraître, quelques pas et un bain d'oxygène sont parfois suffisants pour conduire à une meilleure solution. C'est la raison pour laquelle j'emmène des décideurs en montagne, où je les aide à articuler leur réflexion (collective ou individuelle) tout en marchant (ou parfois en skiant ou en grimpant).

Pourquoi en montagne ? Parce que marcher dans la nature est ce qu'il y a de mieux. Marc Berman, professeur de psychologie de l'université de Chicago, a montré au travers de différentes expériences que marcher dans la nature permet d'améliorer ce que les psychologues appellent « l'attention dirigée » : une ressource mentale qui nous permet de mieux nous concentrer tout en régulant nos émotions et notre comportement.

Il est préférable, bien entendu, de marcher en état de pleine conscience, une situation que les montagnes facilitent car elles provoquent souvent un sentiment d'émerveillement, propice à la pleine conscience. Comme je l'ai précisé dans le chapitre précédent, l'expression « pleine conscience » – très à la mode et un peu ampoulée – ne désigne rien d'autre que la conscience du moment présent, la faculté d'y rattacher nos émotions et nos pensées qui vont et viennent. À beaucoup d'égards, marcher, en particulier dans des lieux splendides qui nous émerveillent, équivaut à pratiquer la pleine conscience. Mais comment cela contribue-t-il à la prise de meilleures décisions ? De nombreux travaux réalisés en psychologie et en neurosciences montrent que les activités de pleine conscience comme la marche modifient l'activité du cerveau d'une manière qui améliore la prise de décision. Dit de la manière la plus simple possible, elles changent le « système opératoire » du cerveau en redirigeant son activité du système limbique – la partie associée à nos peurs fondamentales et à nos émotions – vers le cortex préfrontal : la région du cerveau qui contrôle nos pensées conscientes et qui est associée aux fonctions supérieures telles que la prise de décision, la prise de conscience et la concentration. Les IRM montrent que la pratique régulière de la pleine conscience réduit la taille de l'amygdale – le centre de la préparation à la fuite ou à la lutte dans le cerveau – épaississant le cortex préfrontal. La pleine conscience change aussi la « connectivité fonctionnelle » entre le système limbique et le cortex préfrontal. Quand on s'engage dans une activité de pleine conscience comme la marche, la connexion entre l'amygdale et le reste du cerveau faiblit, tandis que les connexions entre les différentes régions associées à l'attention et à la concentration deviennent plus fortes. Un raisonnement plus réfléchi et un meilleur contrôle de nos pensées se substituent alors aux réponses primales au stress, telles que les impulsions et les réactions instinctives. Pour résumer : les activités de pleine conscience favorisent ce que la théorie du leadership appelle le « fonctionnement exécutif », permettant ainsi de prendre de meilleures décisions.

Tout au long de l'histoire, d'innombrables écrivains, philosophes et autres penseurs ont proclamé que leur réflexion excellait lorsqu'ils marchaient. Cette observation, intuitivement juste, est aujourd'hui corroborée et « décortiquée » par la science. De nombreuses expériences récemment conduites pour estimer la performance cognitive dans différentes conditions (debout, assis ou en marchant par exemple) concluent que celle-ci s'améliore lorsqu'on marche. Dans l'une d'entre elles, Sabine Schäfer, une psychologue de l'institut Max Planck de Berlin, a évalué dans quelle mesure des enfants de 9 ans et de jeunes adultes réussissaient un exercice de mémoire en étant placés dans différentes conditions. Les « cobayes » des deux groupes d'âge obtenaient de meilleurs résultats en marchant plutôt qu'en étant assis. À première vue, cela paraît contre-intuitif car les psychologues définissent l'attention comme une ressource limitée, et de très nombreuses études semblent prouver que la performance se détériore dans des conditions duales ou multitâches, par rapport à des conditions à tâche unique. Le plus de ressources nous consacrons à une tâche, le moins il en reste pour les autres. Mais il se pourrait bien qu'au lieu d'avoir un seul « réservoir d'attention » à partager, nous disposions de plusieurs réservoirs adaptés à différents types d'activité. Ainsi, quand deux tâches sont suffisamment différentes l'une de l'autre, il ne devrait pas y avoir de détérioration de la performance dans des conditions duales. Cela expliquerait la raison pour laquelle la tâche « secondaire » de marcher améliore, plutôt que de la détériorer, notre performance mentale et intellectuelle.

Les chercheurs ne sont pas sûrs du mécanisme qui explique cela et du lien de causalité, mais ils supposent que le réservoir d'attention sollicité par une tâche sensorimotrice comme la marche diffère de celui utilisé pour le travail de mémoire. La marche accroîtrait l'excitation et l'activation qui « pourraient ensuite être investies dans une tâche cognitive ». D'une manière générale, la marche favorise la circulation sanguine dans le corps tout entier, y compris le cerveau. Elle accroît donc les connexions entre nos cellules cérébrales, ce qui stimule la créativité et améliore la qualité de nos décisions.

Il ne fait plus aucun doute pour la science que la créativité – un ingrédient essentiel pour une bonne prise de décision – s'améliore lorsque nous marchons. Un groupe de chercheurs de l'université américaine de Stanford a conclu que lorsqu'on marche, aussi bien à l'extérieur que sur un tapis roulant, on est 60 % plus créatif que si l'on est assis. Un détail intéressant : lorsque les participants passent un second test après s'être assis, ils demeurent plus créatifs que s'ils n'avaient pas marché, semblant prouver que l'effet positif de la marche perdure après s'être assis. En plus, l'expérimentation n'observe pas de différence en termes de surcroît de créativité entre ceux qui ont marché à l'extérieur et ceux qui ont marché à l'intérieur sur un tapis roulant, suggérant que ce n'est pas l'environnement ou la sensation qui rend le marcheur plus créatif, mais le simple acte physique de marcher. Les raisons de ce lien de causalité ne sont pas encore bien comprises par les chercheurs.

Peut-être est-ce dû tout simplement au fait que la marche, en améliorant notre humeur et notre état d'esprit, laisse éclore notre créativité. La marche pourrait aussi divertir une énergie « négative » qui contraindrait notre capacité créatrice… On ne sait pas encore quelle est la vraie raison, mais au rythme où la science progresse, on l'apprendra bientôt !

Les péripatéticiens grecs saisissaient déjà la nature des liens profonds qui unissent la marche et la pensée, mais Nietzsche fut le premier à théoriser l'idée que la qualité de la pensée produite en marchant est supérieure à celle émanant d'un bureau ou de n'importe quel autre endroit où l'on est enfermé entre quatre murs. Il y en eut bien d'autres. Darwin, par exemple, avait fait installer un chemin en gravier dans son jardin, le parcourant inlassablement et quotidiennement lorsqu'une question le tracassait. Le nombre de boucles qu'il faisait dépendait de la difficulté du problème à résoudre. Il empilait des cailloux au début de sa promenade, qu'il enlevait ensuite un par un au fur et à mesure de sa progression, estimant ainsi la difficulté du problème qu'il mesurait en trois, quatre ou cinq « silex ». Dans un esprit un peu différent, mais avec un objectif similaire (prendre une meilleure décision), Freud conduisait des analyses en marchant, en partant parfois pour plusieurs heures. Dans un cas célèbre, il emmena le compositeur Mahler pour une promenade de quatre heures afin d'analyser la meilleure manière d'empêcher la désintégration de son mariage. Nous pourrions citer une pléthore d'autres exemples (ce que nous ferons en partie dans le chapitre 10, avec les écrivains et les philosophes), mais dans le cadre de la prise de décision, limitons-nous aux décideurs : grands patrons, célèbres investisseurs et responsables politiques. Aujourd'hui, nombre d'entre eux, comme le président Obama lorsqu'il était encore à la Maison-Blanche, embrassent la cause du « marcher pour mieux penser ». Klaus Schwab, le fondateur et président du Forum Économique Mondial, fait à cet égard figure de précurseur. À la fin des années 1990, lorsque je travaillais au WEF, Klaus Schwab avait déjà institué depuis longtemps la pratique professionnelle de la marche pour mieux aborder un problème, ou tout simplement pour s'aérer les neurones avant de prendre une décision compliquée. Il emmenait de manière régulière un chef d'équipe, et parfois une équipe tout entière, dans les collines surplombant la rade de Genève pour une marche rapide afin de réfléchir à une question particulière. On ne pouvait pas revenir sans solution ! Mais si elle se faisait attendre ou requérait une réflexion plus stratégique, Klaus n'hésitait pas à proposer une « super marche ». Nous partions alors en groupe pour le Brévent (un belvédère exceptionnel sur le Mont-Blanc) ou parfois même le mont Rose (un « 4 000 » dans les Alpes, à la frontière de l'Italie et de la Suisse).

Lorsqu'il visita le siège de Patagonia, une icône dans le domaine du vêtement outdoor, Neil Blumenthal, le cofondateur de Warby Parker (une start-up de lunettes de mode) fut impressionné par deux choses : l'effort de recherche et de développement de cette compagnie à la pointe dans le développement durable, et le choix de leur lieu de rendez-vous. Neil remarqua :

« Au lieu de nous réunir dans une salle de confé-
rences, nous sommes partis marcher sur la plage.
Pour moi, c'était quelque chose de très spécial ;
pour eux, c'était banal. » Une telle approche peut
nous paraître normale dans le cas d'une société
spécialisée dans les activités d'extérieur et dont la
philosophie est profondément ancrée dans l'idée
de nature ; mais aussi surprenant que cela paraisse,
ce sont les sociétés les plus digitales qui aujourd'hui
épousent de manière presque inconditionnelle
l'idée que la marche est essentielle à la bonne prise
de décision. La chaîne de télévision CNN remarque
que « les patrons de la Silicon Valley sont obsédés
par la marche ». Nombre d'entre eux, lorsqu'ils
sont confrontés à une décision compliquée, ont
pour habitude de partir marcher, en particulier
dans la nature. Lawrence Levy, le premier direc-
teur financier de Pixar, entreprit des centaines
de balades avec Steve Jobs (le fondateur d'Apple,
aujourd'hui décédé) dans les collines boisées de
Palo Alto, remarquant qu'il « y a quelque chose
de particulier dans le fait d'être à l'extérieur, de
faire quelque chose de physique, de respirer le

bon air. Quand je suis dans cet environnement, il y a un je-ne-sais-quoi qui me permet de mieux connecter. » Steve Jobs était d'ailleurs connu pour les longues balades qu'il effectuait non seulement pour l'exercice et la pratique de la méditation, mais aussi pour résoudre des problèmes et pour des réunions. Dans sa biographie, *Steve Jobs*, Walter Isaacson observe que « partir pour une longue balade était la méthode préférée de Steve pour avoir une véritable conversation ». Aujourd'hui, Mark Zuckerberg, le patron de Facebook, est devenu aussi connu que Jobs pour ses balades dans lesquelles il entraîne les candidats susceptibles d'obtenir une position de responsabilité dans la société. Jeff Bezos, le fondateur et patron d'Amazon, se souvient que la première fois qu'il eut l'idée de démarrer un magasin en ligne, il la mentionna à son patron qui l'invita à en discuter dans Central Park (l'immense parc au sein de Manhattan). Ils partirent marcher durant des heures, pesant le pour et le contre… Jeff Weiner, le patron de LinkedIn, est aussi un fan des réunions de travail en marchant. Il entraîne ses collègues dans les montagnes qui surplombent le siège de la société à Mountain View, en Californie, remarquant que les réunions en marche éliminent les distractions des salles de réunion et permettent une conversation plus franche. Il évoque un point intéressant : marcher côte à côte évite le contact visuel, et permet ainsi aux employés subalternes d'être plus francs et plus ouverts dans la communication avec leurs supérieurs. N'ayant pas à souffrir leur regard réprobateur, ils abordent des problèmes qu'ils n'oseraient pas soulever autrement.

Jusqu'à présent je me suis concentré sur la manière dont la marche permet de prendre de meilleures « grandes » décisions : grandes dans le sens où elles exigent un raisonnement élaboré et complexe. Il est important de souligner que la marche facilite aussi la prise de décisions plus simples ou automatiques, comme celles que nous prenons à propos de ce que nous mangeons. Par exemple, une étude récente a conclu que partir marcher, ne serait-ce qu'un quart d'heure, réduit les besoins obsédants liés au stress et les mauvaises habitudes, comme grignoter un mauvais biscuit ou une barre chocolatée.

L'avantage ultime de la marche, pour une meilleure prise de décision, est que nous n'avons pas à nous forcer, ni à nous « faire violence ». Laisser notre esprit vagabonder suffit ! Le fait de rêvasser, ce qui se produit spontanément lorsqu'on marche, a parfois mauvaise réputation parmi ceux qui font profession de penser, mais cette absence de considération est injuste et infondée. Des travaux récents en neurosciences démontrent que laisser son esprit vagabonder est quelque chose de très commun (il n'y a donc pas de raison particulière de s'en inquiéter !) et de bénéfique pour la créativité. L'oisiveté peut même devenir une vertu. Se réserver des moments de calme… Partir marcher sans destination particulière en tête… Même aller nulle part : c'est parfois dans ces situations que les meilleures idées surgissent, que les meilleures décisions s'imposent. Cela peut paraître contre-intuitif, mais lorsqu'on décide de partir marcher après avoir passé des heures à retourner un problème dans tous les sens, notre esprit travaille sous-consciemment à la résolution du problème. Le fait d'avoir l'esprit libéré et d'être relaxé nous permet d'examiner une série d'hypothèses, d'étudier différentes combinaisons d'idées, de réfléchir à plusieurs solutions. Soudain la meilleure décision s'impose… La marche a alors accompli son miracle !

Décider en marchant : l'exemple du Baromètre Mensuel

J'ai longtemps travaillé dans des banques d'investissement de la City (à Londres) et à Moscou, confiné entre les quatre murs d'un bureau, ou pire : dans l'atmosphère survoltée et étouffante d'une salle des marchés. Durant toutes ces années, j'ai pu observer à quel point des décisions qui engagent beaucoup d'argent ou de nature stratégique pour la société sont prises dans des conditions sous-optimales, et parfois invraisemblables dans ce qu'elles concentrent de tensions et d'énervement. Ayant tiré les leçons de ces erreurs, je propose désormais à mes clients de les emmener marcher en montagne en leur garantissant qu'ils pourront ainsi prendre de meilleures décisions. Comme on vient de le démontrer dans ce chapitre, la littérature scientifique sur le sujet est si abondante et convaincante qu'on a du mal à comprendre pourquoi davantage de décideurs ne l'appliquent pas. L'habitude sans doute…

Pour celles et ceux parmi nos lecteurs qui sont intéressés, je décortique une méthode que j'applique et qui « marche ». Elle repose sur une méthodologie qui a fait ses preuves : l'« analyse des hypothèses concurrentes », développée au départ par la CIA mais qu'on peut extrapoler à l'économie et la finance. Imaginons qu'une décision d'investissement importante repose sur la question de savoir si l'économie d'un pays va dépasser celle de ses pairs (par exemple : l'économie américaine connaîtra-t-elle une croissance supérieure à celle de la zone euro ou sera-ce l'inverse ?) ou rester stable dans les prochaines années (par exemple : l'économie chinoise subira-t-elle une crise financière majeure ou pas ?) Ce genre de problématiques fait les choux gras des banques et cabinets de conseils qui arrivent en général avec un PowerPoint de plusieurs centaines de pages présenté dans une pièce qu'on a pris soin de plonger dans le noir : l'un des pires environnements possibles pour réfléchir posément et une méthode qui laisse en fin de compte très peu de place à l'esprit critique du décideur. Je propose pour ma part la démarche suivante : mes clients, un ou deux intervenants externes choisis par mes soins et moi prenons un téléphérique. Arrivés en haut, nous nous asseyons et réfléchissons collectivement aux trois ou quatre arguments principaux qui sous-tendent chacune des hypothèses : trois ou quatre raisons spécifiques de penser que l'économie américaine fera mieux que l'économie européenne et trois ou quatre autres raisons spécifiques de penser l'inverse. Cette séance de remue-méninges dure à peu près une heure, à l'issue de laquelle chacun formule « sa » conviction. Nous invitons alors nos clients à se mettre en marche et à réfléchir aux raisons qui pourraient les faire changer d'avis. Ils organisent leur système de pensée en toute liberté, en réfléchissant à un point particulier avant de laisser leur esprit vagabonder et de se reconcentrer sur une hypothèse plus précise… Chacun fait comme il l'entend, laissant ses idées « faire leur chemin ». Après une demi-heure, une ou deux heures de marche, on s'arrête pour laisser un expert exposer ses commentaires et répondre aux questions très pointues des clients. On se restaure et on repart, pour une nouvelle heure, ou un peu plus, ou un peu moins, selon les capacités physiques du groupe. La halte suivante est en général la dernière : le modérateur du groupe synthétise les différents points qui ont été évoqués, et ouvre, si nécessaire, de nouvelles pistes. Une brève discussion s'ensuit. On établit la liste des cinq ou dix indicateurs qu'il s'agira de suivre au cours des semaines ou mois suivants afin de valider la position retenue par les clients. Cette méthode, que je viens de décrire de la manière la plus courte et la plus simple possible, comporte des variations à l'infini. Comme dans un restaurant trois étoiles, son succès repose sur la qualité exceptionnelle des « ingrédients », en l'occurrence les intervenants externes – les experts – et le travail de préparation ainsi que l'attention portée aux détails (et bien entendu le cadre : ici un site de montagne exceptionnel). Si je devais résumer le feed-back de mes clients, ce serait celui-ci : marcher en montagne et dans un cadre aussi extraordinaire que le massif du Mont-Blanc est un véritable « booster cognitif », la « voie royale » vers une meilleure prise de décision.

LES POINTS CLÉS

1. La marche et la prise de décision sont étroitement imbriquées l'une dans l'autre.
2. Marcher dans la nature favorise « l'attention dirigée ».
3. Marcher stimule la créativité.
4. La marche est un « booster cognitif ».
5. Les bénéfices de la marche en termes de prise de décision sont de plus en plus en vogue, en particulier parmi les entrepreneurs.

5

C'EST BON POUR S'AJUSTER
À L'ACCÉLÉRATION DU MONDE

Pendant longtemps, j'ai pris comme une lapalissade une remarque que m'avait faite un grand industriel indien que j'admire : « Quand je marche, je ne suis pas pressé. » Il m'a fallu un peu de réflexion avant d'en comprendre le sens véritable. Derrière cette apparente platitude se cache une vérité forte : la marche est l'un des derniers remparts contre l'accélération du temps.

On vit dans un monde où tout va de plus en plus vite. La raison ? La rapidité furieuse avec laquelle le changement technologique progresse. Cela crée une culture de l'immédiateté : nous opérons désormais dans une société en « temps réel » où tout est exigé ou désiré aussitôt. Il suffit de prêter l'oreille pour se rendre compte que cette vélocité accrue est omniprésente puisque tout doit évoluer en mode accéléré. Cette nouvelle culture obsédée par la vitesse touche tous les aspects de notre vie, aussi bien personnelle que professionnelle, du *speed dating* au fast-food, en passant par les messages instantanés ; des chaînes d'approvisionnement « juste-à-temps » au trading à haute fréquence et à la livraison quasi immédiate de marchandises. Tout cela est devenu si banal que certains n'hésitent plus à définir notre époque comme celle de la « dictature de l'urgence ». Le résultat ? On est constamment pressés, enserrés dans les nasses de la vélocité, ou de l'accélération du temps. Cela finit par provoquer une espèce de malaise plus ou moins diffus, dont les effets négatifs varient du vague inconfort causé par le fait que le temps nous file entre les doigts au sentiment que nous sommes dépassés par les évènements. Dans certains cas extrêmes, mais malheureusement de plus en plus communs, cela peut conduire au surmenage ou épuisement professionnel – le burn-out. D'après une étude publiée en 2013 par la Harvard Medical School,

96 % des décideurs de haut niveau se sentiraient en situation de surmenage. Un tiers d'entre eux décrivent leur situation comme « extrême ».

S'il ne fallait nommer qu'un seul et unique responsable de cette incroyable augmentation de la vélocité, ce serait sans aucun doute Internet. Presque 50 % de la population mondiale est désormais en ligne, contre 1 % il y a vingt ans et 30 % en 2010. À la fin de l'année 2016, plus de deux milliards de smartphones étaient en circulation, un chiffre supposé dépasser six milliards avant 2020. L'internet des objets connecte aujourd'hui plus de six milliards de dispositifs et d'appareils en temps réel, de la voiture au lit d'hôpital, de la station d'épuration d'eau au réseau électrique, du four de notre cuisine au système d'irrigation des champs agricoles, et ainsi de suite. Ce chiffre devrait atteindre environ cinquante milliards avant 2020, c'est-à-dire demain. La résultante de cette croissance exponentielle de la connectivité, c'est que les courriels, les messages instantanés et les notifications d'applications en tous genres colonisent notre existence et érodent le temps dont nous disposons. Pour faire court : dans un monde qui ne s'arrête jamais, le temps libre devient une commodité de plus en plus rare, sinon rarissime pour ceux qui exercent d'importantes responsabilités. Le concept de « rareté » est fondamental pour comprendre la relation que nous entretenons avec l'accélération du temps : au fur et à mesure que nos sociétés s'enrichissent, le temps acquiert davantage de valeur et devient par conséquent plus rare. Formulé différemment : lorsque la valeur économique d'une unité de temps s'accroît, la rareté de cette unité s'accroît à son tour. Cela explique le résultat d'études montrant que les populations dans les villes riches, comme Londres et Tokyo, marchent plus vite que celles de villes plus pauvres comme Nairobi ou Djakarta. Cela peut aussi expliquer la raison pour laquelle dans le monde anglo-saxon (qui vénère la toute-puissance du marché plus qu'ailleurs), on « dépense » son temps (*we spend our time*) alors qu'en Italie (le pays de la *dolce vita*) et dans la plupart des autres pays européens on « passe » son temps.

Quelle que soit l'explication en cause, nous sommes tous soumis à l'inexorable tyrannie du temps, une tyrannie exacerbée par la relation obsessionnelle (et parfois la dépendance) que nous entretenons avec nos différents outils : smartphones, tablettes et autres. Beaucoup d'entre nous s'enorgueillissent de leur aptitude à accomplir plusieurs choses à la fois, en particulier dans le domaine digital. En effet, nous avons de plus en plus tendance à vérifier simultanément nos mails, nos comptes sur les réseaux sociaux tout en poursuivant différentes conversations, même au cours d'une réunion ou d'un repas. Tout cela parce que nous avons gobé tout cru le mythe du multitâche et croyons que nous pouvons tout avoir et jouer sur tous les tableaux à la fois. C'est faux. Notre cerveau n'est pas équipé pour le multitâche, et nous ne pouvons tout simplement pas poursuivre plusieurs tâches à la fois. Le cerveau humain a une capacité limitée pour ce qui est de prêter attention à plus d'une chose à la fois, ce qui signifie que lorsque nous essayons de faire plusieurs choses au même moment, nous ne faisons que passer séquentiellement d'une chose à une autre de manière complètement inefficace. La réalité est celle-ci : les distractions permanentes et les interruptions incessantes causées par nos différents outils digitaux contraignent et réduisent notre capacité de concentration et de réflexion. Parfois, elles nous empêchent aussi d'atteindre les buts que nous nous sommes fixés. Dans un environnement où le temps libre nous fait défaut, notre dépendance digitale dessèche et dévalue les précieux moments dont nous disposons, renforçant le sentiment que le temps nous manque. Pour comprendre l'ampleur du problème, les chiffres parlent d'eux-mêmes. Pour ceux d'entre nous qui disposent d'un smartphone, 40 % le vérifient moins de cinq minutes après s'être levés. Durant la journée, nous le consultons en moyenne 47 fois, un chiffre qui passe à 82 fois pour la tranche des 18-24 ans. En fin de journée, plus de 30 % d'entre nous le vérifient cinq minutes avant de s'endormir, un chiffre qui ne diminue que de moitié en cours de nuit pour ceux qui se réveillent. Il en va de même pour les courriels. En 2015, nous envoyions collectivement 205 milliards de mails par jour, un chiffre qui devrait passer à 245 milliards en 2019 (sans compter évidemment les centaines de milliards de messages qui passent par les réseaux sociaux). Cette surabondance de mails devient ingérable ! Essayer d'avoir une boîte de réception vide en fin de journée ressemble de plus en plus à une tâche de Sisyphe, causant désarroi et parfois burn-out parmi ceux qui s'y emploient. Dans ces conditions, que peut-on faire pour ralentir, trouver un peu de temps libre pour réfléchir, parler à nos amis, décompresser ?

L'obsession d'utiliser au mieux, ou de la manière la plus « efficiente », le peu de temps dont nous disposons a permis l'éclosion d'un business de la « gestion du temps » et de « l'amélioration de la productivité » à part entière. Peut-être n'est-ce qu'une mode passagère, mais pour le moment ses résultats sont décevants, et parfois même contre-productifs. En multipliant à l'infini la liste des tâches à accomplir pour se sortir du mauvais pas de l'accélération du temps, les recettes proposées ne font qu'accroître notre sentiment de frustration en nous imposant (souvent) des objectifs inaccessibles (à commencer par le choix de l'outil le plus approprié : une recherche des « applications gestion de temps » sur Google génère plus de 30 millions de résultats). Les dizaines de milliers de livres, d'articles et d'applications conçus pour nous aider à mieux gérer notre temps aboutissent ainsi à la situation inverse de celle qui est recherchée, générant un sentiment de stress et parfois même d'anxiété. C'est l'un des grands paradoxes du progrès : plus nous disposons d'outils pour gagner du temps, plus nous avons le sentiment que nous en manquons.

L'accélération du temps mène à l'affairement, qui peut à son tour rendre notre vie « folle » et ingérable. Comment, dès lors, regagner le contrôle de notre emploi du temps ? Plus fondamentalement : comment reprendre possession du temps ? Il existe une solution simple, et pourtant très efficace : marcher. David Sbarra, un professeur de psychologie clinique à l'université d'Arizona, explique ainsi comment il a su surmonter le sentiment d'affairement qui l'oppressait : « J'ai décidé de marcher plus, c'est tout ! C'était un changement qui n'était pas si difficile pour moi – je me garais un peu plus loin du travail et j'allais me balader après le déjeuner. Ce n'est pas une exagération de dire que ces quarante minutes supplémentaires de marche deux ou trois fois par semaine m'ont profondément changé. Marcher me donne le temps de penser, d'être énergisé par la nature et d'avoir une vie moins frénétique qu'avant. La marche a eu un effet spectaculaire : je suis passé de l'état de robot à celui d'être humain. » Et oui : c'est aussi simple que cela ! Plus nous sommes occupés, plus nous avons besoin de moments de calme pour échapper au bruit, aux distractions et aux innombrables interruptions que la vélocité, par l'intermédiaire de la technologie, impose à nos vies. Marcher en silence nous laisse le temps de penser, de songer à de nouvelles perspectives, de développer d'autres idées… C'est un formidable antidote pour traiter les différents symptômes d'un monde en pleine accélération – la meilleure et la plus accessible méthode de désintoxication. Partir marcher, c'est appuyer sur un bouton de réinitialisation neuronale : cela déclenche le mode « vagabondage » ou « exploration » dans notre cerveau, nous offrant ainsi une perspective salutaire sur ce que nous pensons ou faisons, et nous mettant, le temps nécessaire, à l'abri de la vélocité.

Cela semble donc fort simple, mais je vous entends déjà : « Je n'ai pas le temps d'aller marcher ! » Ne vous découragez pas si vite. Le temps est une notion élastique – on trouve toujours le temps de faire ce qui est important pour nous. Il suffit pour cela d'établir nos priorités et d'en faire un usage optimal. Prenons l'exemple d'une réunion professionnelle vers laquelle nous nous précipitons (car nous sommes en retard) en taxi ou en métro. Après avoir sans doute enduré les embouteillages, l'atmosphère confinée d'un véhicule ou d'une rame de métro surpeuplée, on arrive à l'heure, mais stressé par l'idée qu'on aurait pu être en retard, et sans doute un peu déconcerté par le brouhaha et la passivité inhérente au statut de passager. Il est probable qu'on ne démarrera pas la réunion de travail dans des conditions optimales, ni avec le bon état d'esprit : on sera physiquement présent mais mentalement dans un entre-deux, ni là ni ailleurs. Être mentalement présent requiert une certaine préparation, donc prend du temps. Imaginons maintenant la situation suivante : plutôt que de partir sur les chapeaux de roues afin d'arriver juste à temps, on prend dix à quinze minutes supplémentaires pour terminer le trajet à pied, en demandant au taxi de nous déposer à 500 mètres du lieu de rendez-vous ou en descendant à la station de métro d'avant. Durant ces dix ou quinze précieuses minutes durant lesquelles nous marchons, on passe du mode passif au mode actif, on réoxygène notre corps et notre cerveau et on se prépare au rendez-vous, auquel on arrive physiquement et mentalement prêt. Je rends souvent visite à des clients dans des villes où il « fait bon » marcher : Londres, New York, Genève, Milan, Paris… À chaque fois que j'en ai l'opportunité, je leur propose de se rendre à un rendez-vous à pied, ou tout simplement de sortir faire le tour du pâté de maison ou du bloc (à New York) et de se dégourdir les jambes avant de poursuivre une réunion ou de reprendre une négociation. On en profite pour discuter d'un point en suspens, pour reprendre une idée qui avait attiré notre attention quelques minutes plus tôt, pour peaufiner un argument... Je n'ai jamais entendu quiconque ne pas reconnaître à quel point ces quelques minutes « à soi » permettent de reprendre possession du temps et de mieux se préparer mentalement.

C'est simple et ça fonctionne car en marchant, on s'offre un moment de répit ; on se protège des effets dictatoriaux de l'accélération du temps (où tout est requis tout de suite). C'est particulièrement vrai quand on marche dans la nature, mais en ville aussi. La marche est le meilleur moyen de ralentir. Si elle offre un refuge aussi bienveillant contre la tyrannie du temps qui s'accélère, c'est parce qu'on peut la pratiquer à loisir et au rythme qui nous convient, quelle que soit sa durée (de la petite balade au long trek de plusieurs semaines). Cela revêt une importance très particulière car penser plus efficacement, ou « mieux penser », exige sans doute de penser plus doucement, ou en tout cas plus calmement. Dans n'importe quelle tâche cognitive, il existe toujours un compromis entre rapidité et efficacité : plus on va vite et moins on est efficace, et vice versa. On comprend tous intuitivement qu'on a davantage de chances de résoudre un problème intellectuellement complexe en disposant d'un peu plus de temps. Ralentir la vitesse, comme la marche le permet, constitue un moyen simple de prendre le temps de penser, de mesurer la complexité d'un problème, de réfléchir, méditer, et de laisser, le cas échéant, notre esprit vagabonder. C'est là que se rejoignent les arguments présentés dans le chapitre précédent et ceux sur la maîtrise du temps : prendre son temps, comme la marche nous y autorise, est non seulement un préalable indispensable à une bonne prise de décision, mais c'est aussi un moyen simple de vivre une vie plus satisfaisante. À une époque où l'affairement et la surcharge de travail constituent la norme, et sont même portés aux nues (il est parfois de bon ton de confesser qu'on est « littéralement débordé »), ralentir en partant marcher est indispensable pour faire le plein d'énergie et se reconcentrer. Quand on marche, on peut éprouver une certaine monotonie causée par le balancement perpétuel d'un pas sur l'autre, mais jamais l'ennui car la marche incarne par essence l'activité qui nous donne le temps d'éprouver les choses et de ressentir nos émotions. Elle nous offre un espace vital dont nous sommes souvent dépourvus par les travers de la vie moderne. N'oublions pas que nous sommes avant tout des créatures physiques, même si nous vivons dans un monde de plus en plus digitalisé ! On peut décider de partir marcher pour des raisons très « instrumentales » ou « opportunistes » : améliorer notre santé, notre productivité, nos capacités de prendre de meilleures décisions ; mais on peut aussi le faire pour des raisons beaucoup plus prosaïques : pour le simple plaisir du mouvement et la sensation de bien-être qui l'accompagne lorsque nous prenons notre temps.

Prendre son temps en marchant… Il existe un mot pour cela : flâner, sans véritable équivalent dans la plupart des langues étrangères. En anglais, les mots *strolling* ou *drifting* traduisent « flâner », mais avec une connotation négative : celle d'une perte de temps ou d'une sensation d'errance. En français, en revanche, le mot « flâner » a une signification précise et une connotation positive, largement inspirées par Charles Baudelaire : « Le flâneur est une personne qui marche en ville afin d'en faire l'expérience. » Par extension, un flâneur peut marcher partout, parcourant les rues ou les chemins, en ville, à la campagne, en montagne ou en mer, débarrassé de tout sentiment d'urgence, par conséquent en pleine maîtrise du temps. Il y a dans la flâneuse ou le flâneur une espèce de volupté, nichée dans le désir de prendre autant de temps qu'il est nécessaire, ayant cette capacité de savourer le moment présent. Flâner, c'est vagabonder de manière occasionnelle avec comme ultime objectif l'espoir de transmuer le transitoire en sentiment d'éternité.

Rester maître de son temps : l'exemple du Baromètre Mensuel

On peut être technophile sans pour autant sombrer dans la technolâtrie. Steve Jobs en est le parfait exemple. Il interdisait à ses enfants l'usage du smartphone et de la tablette lors des repas, les encourageant à parler d'histoire et des livres qu'ils avaient lus. Le Baromètre Mensuel applique des règles identiques : je fais grand usage des technologies digitales, mais lorsque j'emmène mes clients marcher, je les exhorte à ne pas consulter leur téléphone, à moins que ce soit une absolue nécessité. Certains grands décideurs doivent se faire violence, car pour beaucoup d'entre eux passer quelques heures sans connexion est un acte presque « contre-nature. » Une fois le cap passé, une majorité reconnaît qu'un sevrage digital améliore leur qualité de réflexion et leur maîtrise du temps de manière incomparable. Un investisseur français renommé avec qui je travaille régulièrement m'a confié qu'il appliquait désormais la recette suivante : deux fois par mois, il se déconnecte pour une journée entière, ne consultant ses mails et son téléphone qu'une fois le matin et une autre le soir, et sortant marcher plusieurs fois durant la journée. Ces deux intermèdes sont les seuls moments du mois où il jouit d'une liberté absolue pour réfléchir calmement et sans interruption à des questions stratégiques auxquelles il n'a pas le temps de penser autrement. Sa conclusion : « Durant ces deux jours, je pense différemment ; ma réflexion sort des sentiers battus. En fait je perds du temps pour en gagner. »

LES POINTS CLÉS

1. Dans notre monde digital, la vélocité est omniprésente et croissante.
2. Les techniques de « gestion du temps » rendent notre vie misérable.
3. La marche est le meilleur moyen de ralentir…
4. … et un antidote efficace contre l'accélération du temps.

6

C'EST BON POUR L'ÉGALITÉ

Dans mon activité professionnelle, je côtoie quelques-unes des familles les plus riches au monde : les 1 % du 1 %. Toutes comprennent que la diminution des inégalités est un impératif catégorique : sinon pour des raisons morales, au moins par intérêt personnel, car un monde trop inégal deviendrait un monde invivable, et « dangereux » pour les riches, comme l'histoire l'a montré à de si nombreuses reprises. Une blague circule en ce moment dans la Silicon Valley où beaucoup de gens ont gagné des fortunes en très peu de temps :

— Qu'est-ce que tu fais de tous tes millions ? demande l'un.

— Je construis un bunker pour me protéger, répond l'autre.

Quelle perspective ! En l'évoquant avec un client très fortuné, il a cette formule lapidaire : « Si on veut sauver le capitalisme, il faut y injecter une dose de socialisme. » Il a abandonné le golf pour la marche, l'activité la moins ostentatoire et la plus égalitaire au monde !

Presque tous les décideurs comprennent que l'accroissement des inégalités, que ce soit en termes de revenus, de richesses, ou d'opportunités, représente aujourd'hui une grave menace pour la stabilité politique et sociale dans le monde. Durant les dix ou vingt dernières années, et à peu près partout (même dans les pays où des dizaines de millions de personnes sont sorties de la pauvreté), les personnes en haut de l'échelle ont saisi, ou parfois confisqué, la plupart des gains économiques, plaçant ainsi l'espoir d'une vie meilleure pour la majorité des autres hors d'atteinte. Ce phénomène s'explique par la raison suivante : on vit désormais dans un système « où-le-gagnant-rafle-tout » (*the winner-take-all economy*) ou presque tout (*the winner-take-most economy*) ; une ère économique nouvelle où la globalisation et l'innovation technologique récompensent de manière surdimensionnée ceux dont les talents sont recherchés, tout en éliminant petit à petit les employés ordinaires dont le revenu disponible et les opportunités en termes d'emploi de qualité se réduisent comme une peau de chagrin. Même si la pauvreté régresse à l'échelle du globe et qu'en termes purement statistiques on vit en moyenne mieux que par le passé, l'accroissement récent des inégalités pose un vrai problème. Pourquoi ? N'y a-t-il pas toujours eu des inégalités ? Et souvent beaucoup plus choquantes qu'aujourd'hui ? Si, mais là n'est pas la question. Tout d'abord, et pour tout un tas de raisons qu'on ne peut aborder dans ce livre, notre tolérance face à l'inégalité et son acceptation ont grandement diminué. Ensuite, c'est une question de degrés. Notre sensibilité à l'inégalité n'évolue pas de manière linéaire, mais dépend de points d'inflexion au-delà desquels le tissu social et la cohésion de groupe sont soumis à rude épreuve. Beaucoup de pays, surtout dans le monde anglo-saxon, sont aujourd'hui proches de ce point d'inflexion. D'une manière générale, les sociétés très inégales ne fonctionnent pas de manière efficiente, car leurs économies ne sont ni stables ni durables (dans le sens où elles ont du mal à croître de manière équilibrée et dans la durée). De plus, à partir d'un certain stade, l'inégalité offre un terreau propice à l'émergence du populisme et instille le doute sur les vertus de la démocratie, qui pour fonctionner convenablement doit être ancrée dans l'idée de justice et d'équité. C'est impossible de définir avec précision et objectivité ce qui est équitable et ce qui ne l'est pas, mais nous avons tous une compréhension intuitive de la notion d'équité. La rémunération des grands chefs d'entreprise aux États-Unis (souvent considérée comme extrême, mais la tendance est la même ailleurs) offre un bon exemple de ce que signifie « aller trop loin ». Dans les années 1980, presque personne ne s'offusquait qu'un grand patron gagnât 40 ou 50 fois le revenu annuel médian de ses employés, mais quand le ratio passe à 200, comme c'est le cas aujourd'hui, et parfois même à 1 000 pour certaines sociétés, n'est-ce pas hors de proportion ? Est-ce juste et équitable ? Cela signifie-t-il qu'un grand patron américain est aujourd'hui quatre à cinq fois meilleur (l'écart de différence) qu'il ne l'était il y a trente ou quarante ans ? Où est-il (c'est très majoritairement un « il ») juste meilleur en termes de capacité de capturer une rente et à utiliser le système en sa faveur ? Une célèbre expérience conduite en théorie des jeux – « le jeu de l'ultimatum », développé en 1982 et ensuite décliné en de très nombreuses itérations – prouve que les notions d'équité et d'égalité, tout comme la colère et le désir de revanche, jouent un rôle beaucoup plus essentiel dans nos vies que le principe de « maximisation de l'utilité » sur lequel repose une bonne part de l'économie classique, ou de l'école dite rationnelle. Cela peut expliquer pourquoi il n'y a pas de ressentiment à l'égard des gens devenus riches en créant des milliers d'emplois et de la valeur dans l'économie réelle, mais beaucoup d'animosité vis-à-vis de ceux perçus comme des rentiers et dont le comportement est souvent prédateur (comme les fonds spéculatifs par exemple). Dans la même veine et pour la même raison, peu de gens sont choqués par les inégalités de résultats, mais une majorité d'entre nous est scandalisée par les inégalités d'opportunités. Beaucoup de travaux de recherche en sciences sociales démontrent que l'accroissement des inégalités conduit à une « mélancolie de l'âme », et à un accroissement de la criminalité, de la consommation de drogues, de grossesses précoces, de maladies cardiaques, etc. La liste est longue… Pour résumer : une inégalité excessive engendre du ressentiment et un sentiment d'exclusion qui finissent par rendre une société dysfonctionnelle. C'est sans doute la raison pour laquelle des pays riches comme le Japon, l'Allemagne ou la Suisse connaissent moins de tensions sociales que d'autres comme les États-Unis ou le Royaume-Uni. Le fait qu'ils sont moins inégaux y est sans doute pour beaucoup, ainsi que la perception par leurs populations que l'inégalité y est moins dure, oppressive et polarisante qu'ailleurs.

Je vous entends dire : « Mais qu'est-ce que la marche peut bien avoir à voir avec tout cela ? Quel est le rapport ? » Il est bien plus étroit qu'on ne le pense. À ma connaissance, il n'existe pas encore d'étude scientifique ayant prouvé de manière incontournable que les sociétés où l'on marche plus sont moins inégales que celles où l'on marche moins. J'ai cependant l'intuition que cette corrélation entre la marche et l'inégalité (ou l'égalité – selon le sens dans lequel on l'observe) existe. Serait-ce aller trop loin que de prétendre que la marche contribue à réduire les inégalités, et que ce faisant elle augmente notre bonheur ? Peut-être… mais explorons néanmoins l'idée !

La seconde composante de l'argumentaire (visant à démontrer que réduire les inégalités augmente le bonheur) est aujourd'hui confirmée par de nombreuses études. En particulier, le plus récent *Rapport mondial sur le bonheur* (*World Happiness Report*) montre qu'en moyenne, un bas niveau d'inégalité devant le bonheur est corrélé avec un meilleur score en termes de bonheur, ce qui suggère que les sociétés moins inégales sont en général plus heureuses. Comme c'est souvent le cas, le rapport de causalité est difficile à établir, mais la raison sous-jacente semble être l'équité : en tant qu'êtres humains, on a appris à évoluer et coopérer dans un contexte social qui nous fait préférer l'équité à l'iniquité. Cela implique que les situations d'iniquité sont génératrices de stress, et par conséquent une source de mal-être et de mécontentement. Pour revenir à la première composante de l'argumentaire, on peut postuler que la nature inclusive et par essence non conflictuelle de la marche lui donne la faculté de promouvoir un plus grand sens d'équité, et par conséquent la possibilité d'avoir un effet positif sur la réduction des inégalités.

Si on considérait la marche comme un bien économique, elle appartiendrait à la catégorie des biens « non exclusifs et non rivaux ». La marche est non exclusive en raison de sa gratuité : personne ne peut être empêché de la pratiquer pour des raisons économiques ; et elle est non rivale dans le sens où sa pratique par une personne ne réduit pas sa disponibilité pour d'autres. N'importe qui peut donc en profiter car sa « consommation » individuelle ne conduit pas à la soustraction du « produit » marche pour d'autres. En 1909, Edward Weston, un Américain de 70 ans qui marcha de New York à San Francisco en 105 jours (une moyenne de plus de 60 kilomètres par jour) était déjà parvenu à une conclusion identique en affirmant : « N'importe qui peut marcher. C'est gratuit, comme le soleil la journée et les étoiles la nuit. Tout ce que nous avons à faire, c'est de nous dresser sur nos jambes, et les routes nous mèneront n'importe où. » C'est le mot « gratuit » qui importe ici. Marcher est ouvert à toutes et à tous, presque n'importe où et n'importe quand. Il n'y a pas d'ostentation dans la marche ; on ne peut pas marcher et frimer à la fois ! C'est une activité qui ne requiert ni de cotisation pour faire partie d'un club, ni d'aptitude physique particulière afin d'intégrer une équipe. Marcher n'exige rien d'autre que le désir de le faire et un montant minimal d'équipement bon marché (ou pas d'équipement du tout, comme le montre la vague croissante de groupes de marche naturistes). Quand on marche, on ne manifeste pas son appartenance de classe, on ne revendique pas une position sociale particulière et on n'emploie pas de biens « positionnels » (comme une voiture de grosse cylindrée) pour signaler notre statut. Il y a des exceptions bien entendu, comme porter une paire de chaussures très chère, mais il s'agit précisément de cela : des exceptions (et d'une portée tout à fait mineure). La réalité, c'est que l'acte de marcher, en particulier si c'est un passe-temps ou une activité sportive entreprise à la campagne ou à la montagne, est l'activité de loisir la moins inégale qui soit. Non seulement elle est accessible à tous, mais elle favorise l'éclosion de ce que les sociologues appellent les « liens faibles » : la possibilité de tisser des liens avec des gens différents qu'on ne rencontrerait pas autrement. En termes simples, la marche contribue à faire reculer nos barrières sociales, elle nous fait nous sentir plus libres et un peu plus égaux. Aussi longtemps que le plaisir partagé de la marche dure, il nous permet de transcender nos individualismes et de faire l'expérience d'un moment de générosité et de confiance, même avec des inconnus et des personnes avec lesquelles on ne ressent pas une affinité particulière. Marcher a un réel pouvoir de démocratisation : c'est l'une des très rares activités où tout le monde se sent égal et bienvenu. J'en fais moi-même l'expérience dans le cadre de mon activité professionnelle. Lorsque j'emmène des clients très connus ou très fortunés (ou les deux !) marcher en travaillant en montagne, j'observe à chaque fois les deux choses suivantes : rien, dans leur comportement ou leur habillement, ne les différencie des autres, ni n'attire l'attention sur eux ; arrivés au refuge ou dans un bistrot ou dans la station du téléphérique, les relations avec les autres marcheurs sont basées sur une réelle camaraderie, sans chichis et sans qu'on puisse discerner l'ombre d'un ressentiment ou l'obséquiosité qu'on observe parfois dans la loge VIP d'un grand tournoi de tennis ou d'un stade de foot. La raison en est fort simple : quand on marche, on est tous égaux car c'est une activité sans privilèges ni passe-droits.

Je n'évoque pas ici la dimension politique de la marche : la quête de changement à laquelle elle est fréquemment associée, la plupart du temps pour réclamer davantage d'égalité. De telles marches ponctuent l'histoire de l'humanité sous des formes toujours différentes, depuis la Marche du sel pacifique de Gandhi (destinée à dénoncer l'impôt sur le sel imposé par le pouvoir colonial britannique) jusqu'aux marches révolutionnaires durant la Révolution française ou les manifestations de masse durant les années 1960 et 1970. Dans ces contextes, la marche est un acte d'appropriation de la rue comme espace de protestation, un geste politique. Ce n'est évidemment pas ce que j'ai en tête en avançant l'idée que marcher peut contribuer à réduire le sentiment d'inégalité. Je pense à quelque chose de beaucoup plus modeste, mais susceptible de faire une différence à la marge. Je laisse de côté le problème éminemment complexe de la redistribution des richesses (qui concerne les inégalités de revenus et de richesse) pour me concentrer sur les réponses standards de politique économique destinée à redresser les inégalités. Elles s'articulent en général autour de trois axes, tous concentrés sur la réduction des inégalités d'opportunité : la formation continue, un meilleur accès à l'éducation, la lutte contre la discrimination. C'est dans ce dernier domaine que la marche et les politiques susceptibles de l'encourager ont un rôle à jouer. En conservant bien sûr, mais aussi en développant les conditions qui rendent la marche possible (zones piétonnières en ville, sentiers et chemins de randonnée, et ainsi de suite), les gouvernements, les autorités publiques, et parfois des organismes privés nous offrent un « bien public » dont nous pouvons tous bénéficier à égalité, quelles que soient notre origine sociale et notre richesse. Les *public footpaths* en Angleterre, les sentiers du littoral en France ou les sentiers de grande randonnée partout en Europe en sont un parfait exemple. *A contrario*, la quasi-impossibilité de marcher au Texas (où plus de 95 % de l'espace est privé et jalousement gardé comme tel) est l'expression patente d'inégalités qui perdurent.

Sans sombrer dans l'optimisme béat, il faut reconnaître que la marche permet souvent d'extraire ce qu'il y a de meilleur en nous. Même dans les situations extrêmes où elle devient une activité ultra-compétitive, comme dans un marathon ou un ultra-trail, elle nous invite à la camaraderie et au partage, abolissant pour un instant la division entre riches et pauvres, forts et faibles. L'impitoyable Ultra-trail du Mont-Blanc – une course mythique de 171 kilomètres et de plus de 10 000 mètres de dénivelé positif autour du massif du Mont-Blanc, qui doit être terminée en moins de quarante-six heures et demi – en offre un formidable exemple. Il n'est pas rare d'y voir des participants s'arrêter pour aider un compétiteur en difficulté, n'hésitant pas à sacrifier quelques précieuses minutes et une place de choix dans le classement final. C'est ce que la marche permet ! Étant par nature non transactionnelle, elle favorise la coopération, la générosité et l'altruisme. Beaucoup trop souvent, et en particulier dans nos sociétés occidentales, on considère que les individus sont fondamentalement égoïstes, animés par la poursuite de leur intérêt individuel. C'est ce que nous apprenons en lisant Hobbes ou Machiavel, ou sur les bancs de l'université lorsque l'économie classique nous enseigne que les « agents économiques » cherchent à maximiser leurs préférences individuelles, ou lorsque la science politique nous explique qu'il est dans notre nature de maximiser notre propre pouvoir. Eh bien, non ! Dans la vraie vie, la tendance à l'égoïsme est contrebalancée par le pouvoir de l'empathie et de l'altruisme, des traits de caractère que la marche révèle et nourrit. Peut-être le moment est-il venu d'encourager la marche au travers de politiques publiques : une manière simple de recréer du lien social dans un monde de plus en plus divisé et fragmenté.

LES POINTS CLÉS

1. Réduire les inégalités augmente notre bien-être social.
2. La marche est par essence un bien égalitaire car non exclusif et non rival.
3. Dans une certaine mesure, marcher abolit les inégalités.
4. La marche encourage l'empathie et l'altruisme.

7

C'EST BON POUR L'ÉCONOMIE

Au premier abord, l'assertion selon laquelle marcher est bon pour l'économie n'est pas évidente. Elle peut même paraître un peu incongrue ; pourtant ce n'est pas le cas ! Certains économistes de renommée mondiale, comme Richard Layard – l'un des fondateurs de l'économie du bien-être (*happiness economics*) – la considèrent même comme « vitale ». La marche est bénéfique pour l'économie de deux manières principales. D'une part, elle améliore le contexte et l'amplitude de la croissance en la faisant passer d'une dimension centrée sur la consommation matérielle à un modèle davantage basé sur le bien-être. D'autre part, elle améliore la productivité qui, à long terme, est ce qui importe le plus à l'économie.

Marcher nous aide à aller au-delà du PNB

Parmi tous les indicateurs économiques, le PNB (Produit National Brut : la production de richesses d'un pays) bénéficie d'un statut « quasi divin » causé par la place prépondérante du consumérisme dans nos vies. On pressent cependant les prémices d'un changement, l'émergence d'une nouvelle tendance, moins matérialiste et plus préoccupée par le bien commun et la notion de bien-être (pour laquelle la marche occupe une position centrale). Pourtant, il s'agit d'une aspiration fondamentale qui n'est pas nouvelle. Aristote fut le premier à proclamer que le but principal de la vie humaine réside dans la quête du bonheur et de l'intérêt commun, établissant une distinction fondamentale entre le bien-être eudémoniste (du grec *eudaimonia* qui signifie « épanouissement humain » avec la signification d'un but dans la vie, de quelque chose qui lui donne du sens et qui est en harmonie avec la société et la nature) et le bien-être hédoniste (lié à la recherche du plaisir et de la possession matérielle). Aujourd'hui, les psychologues, les spécialistes des

neurosciences et un nombre croissant d'économistes embrassent la position d'Aristote, recon-
naissant que le désir d'être « bien » et de donner
un sens à sa vie l'emporte souvent sur l'appétit de
richesse matérielle. En tant qu'êtres humains, nous
sommes bien plus que des agents économiques
obsédés par la maximisation de leur consommation
matérielle : nous désirons avant tout donner du
sens à notre vie et avoir le sentiment d'accomplir
quelque chose d'utile pour nous-mêmes et pour
les autres. La marche est bien mieux à même de
satisfaire ces aspirations que la consommation
de biens matériels. Cela va d'ailleurs dans le sens
de l'histoire : les jeunes générations ont tendance
à privilégier la consommation d'« expériences »
(comme un voyage ou un concert) plutôt que celle
de biens de consommation physiques (comme un
bijou ou une voiture).

Déjà en 1968, dans un célèbre discours prononcé à l'université du Kansas, Robert Kennedy
avait exhorté ses concitoyens à comprendre que
« le PNB mesure tout, à l'exception de ce qui vaut la

peine d'être vécu ». En effet, le PNB ne mesure pas comment nous allons, ou comment le pays dans lequel nous vivons se porte ; il compte simplement les choses que nous achetons et vendons, bonnes ou mauvaises : les voitures, les ordinateurs, nos maisons et appartements, les jouets en plastique, la nourriture – industrielle ou pas –, les médicaments, les œuvres d'art, et ainsi de suite. À cet égard, le PNB peut parfois faire mauvais ménage avec le bien-être. Réduire la pollution de l'air ou de l'eau, par exemple, peut diminuer la valeur du PNB (en fermant des usines particulièrement polluantes ou en réduisant le nombre de voitures en circulation). *A contrario*, « produire » davantage de gens malades accroît le PNB en augmentant la production de médicaments et le nombre de consultations chez le médecin. Il serait évidemment absurde de nier l'importance de la consommation matérielle, en particulier pour les populations les plus défavorisées ; mais nous voulons simplement attirer l'attention sur le fait qu'il ne faut pas se concentrer de manière exclusive sur la consommation de ce type de biens au détriment de ceux qui sont immatériels (les expériences en général). Aussi bien d'un point individuel que sociétal, il vaut mieux mettre l'accent sur ce qui rend la vie appréciable, et accentuer la consommation d'activités qui donnent du sens et font plaisir. La marche en fait partie !

Le *World Happiness Report* offre un parfait exemple de la raison pour laquelle l'obsession du PNB est déplacée et fallacieuse. Les six nations européennes qui figurent en haut du classement des pays les plus heureux sont à la traîne en termes de croissance mesurée par le PNB. Inversement, les pays qui performent le mieux en termes de croissance (PNB) sont à la traîne côté bonheur – la Chine, par exemple, figure à la 79ᵉ place. La raison est celle-ci : une fois qu'un certain niveau de richesse (mesuré en PNB par personne) est atteint, le niveau de bonheur dépend moins de la richesse matérielle et de la croissance économique, et bien davantage de facteurs intangibles que le calcul du PNB ne prend pas en compte, en particulier l'accès au système de santé, une cohésion et un tissu social robuste, la liberté, et l'absence relative de corruption. C'est pourquoi tôt ou tard (et d'ailleurs plutôt tôt que tard), la tyrannie de la croissance purement matérielle (« à la PNB ») prendra fin. Alors, beaucoup des normes sociales qui définissent notre comportement en groupe commenceront à changer. Des valeurs telles que l'empathie, une consommation responsable, le respect de l'environnement deviendront la norme et beaucoup plus « cool » qu'elles ne le sont aujourd'hui. D'ailleurs, un nombre croissant d'entreprises et de gouvernements à travers le monde commencent d'incorporer des mesures de bien-être dans leurs chartes commerciales et leurs politiques publiques, prenant conscience que le bien-être de leurs employés et citoyens doit être mesuré en termes de satisfaction plutôt qu'en fonction de critères purement matériels (c'est-à-dire ce que nous gagnons et ce que nous consommons). En conséquence, les décideurs politiques et les leaders économiques se concentrent davantage sur les conditions susceptibles de créer le plus de satisfaction possible parmi la population, ou à l'inverse : le moins de misère possible (au sens non monétaire du terme, en s'efforçant, par exemple, de réduire l'incidence de la dépression qui explose parmi les adolescents dans les pays riches). Les deux se mesurent à partir d'indices de satisfaction dans la vie, et incluent des variables économiques (comme le revenu disponible et l'emploi, soit le taux de chômage), des composantes sociales (comme l'éducation et la situation familiale) et de santé (à la fois physique et mentale). La marche, comme nous l'avons vu dans les trois premiers chapitres, peut exercer un effet positif et décisif sur ce dernier élément : la santé physique et mentale. Elle deviendra par conséquent un constituant à part entière de ces nouvelles politiques destinées à améliorer notre bien-être en contribuant à la fois au « mieux-être » social ainsi qu'à notre satisfaction individuelle.

Il serait évidemment absurde de prétendre que la marche est une panacée universelle susceptible d'accomplir des miracles à l'échelle de nos économies. Il est en revanche légitime d'arguer qu'elle peut améliorer la situation à la marge de deux manières : en nous aidant à prendre de la distance par rapport à notre obsession de croissance purement matérielle, et en nous encourageant à mettre l'accent sur l'économie du bien-être.

Tout ce qui précède ne doit pas nous conduire à mésestimer, ni à contredire, l'importance croissante de la marche pour la croissance économique au sens traditionnel du terme (telle qu'elle est mesurée par le PNB). Ses effets sont indubitablement positifs, mais parfois difficiles à calculer. Mesurer la contribution économique de la marche et la valeur qu'elle représente pour celui qui la « consomme » est beaucoup plus difficile que le faire pour un bien matériel. Si la marche correspond à un service que nous payons (en employant un guide de montagne ou un accompagnateur, en achetant du matériel, en réservant des nuits en refuge et ainsi de suite), sa contribution au PNB est bien entendu mesurable. Si en revanche, la marche est une expérience qu'on entreprend sans débourser un centime (hormis l'achat des chaussures), cela devient beaucoup plus compliqué. Les économistes cherchent toujours à déterminer la valeur économique d'une amélioration spécifique – que ce soit une connexion internet plus rapide, moins de pollution de l'air ou un traitement médical plus efficace, mais c'est souvent très difficile à faire. Dans le cas de la marche, on peut simplement conjecturer ceci : si la marche améliore notre santé, il s'ensuit que sa contribution à la croissance économique est indirecte mais positive.

La raison est la suivante (dans une démonstration poussée à l'extrême pour davantage de clarté) : si nous ne marchons pas du tout, il y a de fortes chances pour que nous finissions par tomber malades et peut-être coincés à la maison avec un mal de dos ou sur un lit d'hôpital, avec une contribution au PNB nulle si nous sommes coincés à la maison, ou très légèrement positive (médicaments, etc.) mais de mauvaise qualité (car négative en termes de bien-être) si nous sommes à l'hôpital. Si, en revanche, nous marchons beaucoup, nous serons en forme et capables ou désireux de nous impliquer dans des activités génératrices de « bonne » croissance économique (dans le sens où elles contribuent au PNB et au bien-être social ainsi qu'individuel). Nous irons à la montagne pour skier, à la mer pour nager et naviguer, à la campagne pour nous promener, en ville pour flâner, nous restaurer et visiter des musées, etc.

Tout cela nous fait beaucoup de bien et aide en même temps l'économie à croître de manière saine et équilibrée, avec un impact positif et immédiat sur le PNB : il faut louer des skis, des bateaux, acheter un peu de matériel, des tickets pour le musée, un repas au restaurant, etc. Derrière toutes ces dépenses se nichent des investissements générateurs de croissance : il faut bâtir des gîtes ruraux, et des hôtels, rénover ou construire des musées, équiper un parc national, tracer et équiper des sentiers... C'est ainsi qu'un parc national, un sentier de grande randonnée ou une célèbre balade en ville peuvent devenir un point focal en termes d'investissement et supporter l'industrie du tourisme au sens plus large du terme.

Pour ne donner que quelques exemples, des pans d'activité assez considérables (hébergement, restauration, infrastructure, logistique, transport) se sont bâtis autour de certains sentiers de grande randonnée en France, du chemin de Compostelle en Espagne, dans certains grands parcs nationaux américains, et beaucoup d'autres endroits. La marche paraît être une forme très immatérielle de croissance, mais un véritable business est en train de se construire autour d'elle. Aux États-Unis, l'industrie du tourisme de plein air (dans laquelle la marche occupe une position majeure) « pèse » désormais 887 milliards de dollars par an (en 2016), dont 184,5 milliards en produits et 702 milliards en dépenses de voyage : transport, hébergement et nourriture. Cela contribue au PNB d'une manière « propre » et équilibrée, sans infliger de dommages ni à d'autres personnes, ni à l'environnement.

La marche est par conséquent le meilleur investissement personnel que nous puissions faire pour nous-même et pour la société dans son ensemble : elle ne coûte quasiment rien mais rapporte beaucoup (son « retour sur investissement » est donc considérable), elle est une ressource disponible en abondance, et elle améliore notre productivité (physique et cognitive) sans aucun effet indésirable !

L'amélioration de la productivité

Pour la définir de la manière la plus simple possible, la productivité correspond à la production par personne. Sur le long terme, c'est ce qui compte le plus pour une économie car elle détermine la capacité d'un pays à améliorer son niveau de vie dans la durée. La croissance potentielle à long terme d'une économie est égale à la croissance de sa main-d'œuvre additionnée à celle de sa productivité. En ce moment, dans de très nombreux pays du monde, la croissance de la main-d'œuvre diminue en raison du vieillissement des populations. Dans le même temps, la croissance de la productivité stagne ou régresse dans la plupart des économies les plus développées. Si cela continue, cette combinaison funeste de réduction de la main-d'œuvre et de la productivité risque de nous condamner à un monde en décroissance avec un niveau de vie qui périclite.

Le déclin de la productivité semble paradoxal dans un monde bouleversé par le progrès technologique, l'innovation et la disruption. C'est ce que les économistes appellent le « paradoxe de la productivité » : pourquoi l'accélération du changement ne conduit-elle pas à une augmentation de la productivité ? Pourquoi la quatrième révolution industrielle et toutes les incroyables nouvelles technologies qui l'incarnent, de l'intelligence artificielle à l'ingénierie génétique, ne contribuent-elles pas à nous aider à produire mieux et davantage ? Sans doute cela finira-t-il par arriver, mais pour le moment la plupart des innovations qui ont un effet direct sur notre existence (notre téléphone portable et ses innombrables applications, l'Internet, les outils de réalité virtuelle ou augmentée) accroissent le temps que nous consacrons à nos loisirs (ou tout simplement à les utiliser !) plutôt que notre efficience en termes de production. Peut-être même exercent-elles un effet pervers sur la productivité... Dans notre monde qui ne s'arrête jamais, notre dépendance à l'égard des outils digitaux est une source de distraction permanente et de stress, avec un effet probablement négatif sur la productivité en général. C'est ici que

le lien avec la marche comme source de productivité accrue devient évident. De nombreuses études
démontrent que les entreprises qui se soucient du
bien-être de leurs employés (en mettant en place
des politiques et des programmes de promotion
du bien-être) obtiennent des résultats impression-
nants en termes d'accroissement de productivité ;
celle-ci peut augmenter jusqu'à 12 % par employé
en moyenne. La marche n'est qu'une des multiples composantes d'un programme de bien-être,
mais on peut imaginer que pour toutes les raisons
mentionnées précédemment (ses bénéfices sur
la santé physique, le cerveau, l'esprit et la prise
de décision), elle est un élément important pour
l'amélioration de la productivité. À notre connaissance, il n'existe pas encore d'étude mesurant de
manière précise et irréfutable la contribution de la
marche à la productivité, mais les centaines d'articles universitaires prouvant qu'elle améliore notre
attention et nos processus cognitifs, nous permet
de nous concentrer plus longtemps, nous aide à
être plus positifs et enthousiastes, convergent et
sous-entendent une amélioration de la productivité.

Ce dernier point à propos de la positivité et de l'enthousiasme suggère que la marche doit aussi contribuer à diminuer les niveaux d'absentéisme et de présentéisme (le fait d'être au travail en étant physiquement ou psychologiquement « mal », donc improductif). Les gens en meilleure santé physique et mentale sont des employés plus productifs : c'est aussi simple que cela !

Si une chose aussi simple et « douce » qu'une petite promenade à l'heure du déjeuner suffit à améliorer notre humeur et notre capacité de gérer le stress, et donc indirectement notre productivité, on se demande pourquoi aussi peu de sociétés l'érigent en politique d'entreprise. Apple est l'une des rares d'entre elles. Avant de décéder, Steve Jobs avait conçu le siège de Cupertino avec comme objectif spécifique de permettre à chaque employé de sortir se dégourdir les jambes dès qu'il en éprouvait le besoin. Tim Cook, qui succéda à Jobs en 2011, observa que les très nombreux arbres plantés à l'intérieur du siège donnaient l'impression de travailler dans un parc national, ajoutant : « Quand j'ai besoin de penser à un problème sérieux, je vais dans la nature. Maintenant, on peut le faire ici ! On n'a plus l'impression d'être dans la Silicon Valley. » Personne n'oserait accuser Apple de ne pas avoir les pieds sur terre et de vivre dans une douce utopie. Si les dirigeants de l'une des compagnies les plus rentables et les mieux capitalisées au monde encouragent leurs employés à marcher autant qu'ils le souhaitent, c'est précisément parce que « ça marche ! »

C'est logique : en pouvant sortir marcher quand ils le souhaitent, les employés d'Apple deviennent plus productifs, et contribuent ainsi à améliorer les résultats financiers de l'entreprise. À titre personnel, j'avais observé la même chose lorsque je travaillais au World Economic Forum au début des années 2000. Le nouveau siège plongeant dans les eaux du lac Léman avait été conçu dans le même esprit que celui d'Apple (trente ans plus tôt) : de façon à permettre aux employés et aux membres du WEF en visite au siège de se balader dans un magnifique jardin abritant des arbres centenaires. Tout comme Steve Jobs, Klaus Schwab comprenait que la possibilité de marcher est un ingrédient essentiel de la productivité.

Il ne s'agit donc pas d'une élucubration puisque « ça marche », mais la raison pour laquelle c'est le cas n'a pas encore été prouvée scientifiquement, et les conséquences que cela peut avoir sur la productivité n'ont pas encore été mesurées. Le sens de la causalité n'est d'ailleurs pas établi : marche-t-on parce qu'on est naturellement plus productif (et donc enclin à s'engager dans d'autres activités) ou devient-on plus productif en marchant ? Intuitivement, on sent que cette dernière proposition est la bonne. On le sait grâce aux douzaines d'articles scientifiques prouvant la proposition contraire : rester confiné dans un bureau est terrible pour la productivité. En théorie, travailler dur scotché à sa chaise devrait contribuer à l'obtention de bons résultats et nous rendre plus productifs. C'est ce que croient l'écrasante majorité des entreprises et administrations qui continuent de parquer leurs employés entre quatre murs en s'assurant qu'ils ne franchiront pas le périmètre du couloir. Mais en théorie seulement… Dans la pratique, comme la littérature scientifique le démontre, travailler trop longtemps sans faire d'exercice génère un cercle vicieux : les gens qui travaillent trop dur consacrent à leur tâche des heures supplémentaires dont le rendement est fortement décroissant (chaque heure supplémentaire fournit un résultat très inférieur à la précédente). Cela les oblige à consacrer encore davantage d'heures pour rattraper le travail en retard, et finit par être tout simplement contre-productif au travers d'erreurs, de fautes de jugement et autres écueils. Une étude récente va encore plus loin, affirmant que la surcharge de travail combinée à l'absence d'activité physique comme la marche génère de nombreux désordres psychiatriques. C'est donc mauvais pour le bien-être, mais aussi pour la productivité.

Notre proposition est la suivante : la prochaine fois que nous voulons booster notre énergie au travail, quittons-le pour quelques minutes en partant faire les cent pas sans bouder notre plaisir. On se fera beaucoup de bien, ainsi qu'à l'économie !

LES POINTS CLÉS

1. Le PNB mesure la production,
pas le bonheur ni le bien-être.
2. La marche favorise le bien-être
individuel et social.
3. La marche contribue à améliorer
la productivité.

8

C'EST BON
POUR L'ENVIRONNEMENT

Depuis quelques décennies, l'économie mondiale ne cesse de devenir plus inégalitaire (comme on l'a vu dans le chapitre 6), mais aussi « dégénérative » dans le sens où elle épuise le monde vivant et les ressources vitales telles que la pureté de l'air ou de l'eau dont nous dépendons. Il a une dizaine d'années, alors que je marchais le long du Rhône à Genève avec José-Maria Figueres (un collègue, ancien président du Costa Rica) et sa sœur Christiana (qui allait devenir la responsable de la COP21 — l'accord sur le changement climatique signé par cent cinquante-cinq chefs d'État en décembre 2015 à Paris), José-Maria s'était exclamé : « Il n'y a pas de planète B ! » L'expression est très fréquemment reprise. Elle sonne mieux en anglais – « There is no planet B », une extrapolation de « There is no plan B » – qu'en français, mais l'idée est là : pour l'environnement, nous n'avons aucune solution de repli car nous n'avons qu'une seule planète. Depuis, José-Maria et moi ne cessons de la reprendre avec nos clients et abonnés : elle frappe les esprits et souligne l'acuité du problème que la marche peut en partie résoudre car elle a un rôle important à jouer pour relever certains défis liés à l'environnement. Elle peut en effet réduire la pollution et les effets des émissions de gaz à effet de serre sur le changement climatique.

En termes de bénéfices environnementaux, c'est dans le domaine de la pollution de l'air que la marche peut jouer le rôle le plus important. Selon l'OMS (l'Organisation Mondiale de la Santé), 90 % de la population mondiale respire un air tellement vicié qu'il excède ses propres limites de sécurité, causant chaque année le décès prématuré de six millions et demi de personnes. C'est une catastrophe qui a acquis de telles proportions un peu partout dans le monde que l'OMS qualifie désormais la pollution de l'air comme une « situation d'urgence sanitaire ». Une étude récente publiée par la Banque Mondiale démontre que la pollution extérieure et intérieure imposent un coût terrible à l'économie globale. Pour 2013, les chiffres vont de 5,1 trillions de dollars de pertes cumulées en termes de bien-être social à 225 milliards de dollars de pertes de revenu du travail. Le risque est global et croissant, mais avec d'énormes disparités. Dans les mégalopoles et les grandes villes en général, les voitures (et autres moyens de transport) constituent presque toujours la principale source de pollution de l'air, en produisant des quantités importantes d'oxyde d'azote, de monoxyde de carbone et de matières particulaires. Dans les pays riches, les voitures représentent la cause principale de pollution de l'air dans son ensemble ; mais dans les marchés émergents, les centrales au charbon et les usines surpassent parfois les voitures. Afin de mieux saisir l'ampleur de l'effet nocif des voitures sur la qualité de l'air que nous respirons, cela vaut la peine de rappeler la chose suivante : le transport représente plus de la moitié des émissions totales de monoxyde de carbone et d'oxyde d'azote, et presque le quart des hydrocarbures émis dans l'air (ce sont les résultats des États-Unis en 2013). On pourrait argumenter sans fin sur la responsabilité précise de l'automobile en termes de pollution de l'air, mais il n'existe aucun doute sur le fait que conduire moins en marchant plus la réduirait significativement. Cela permettrait aussi de relever le défi du changement climatique puisque les voitures constituent une cause importante du réchauffement global : elles représentent environ un cinquième des émissions de dioxyde de carbone dans le monde.

Marcher est une solution évidente, bien que partielle, à certains des problèmes environnementaux auxquels nous sommes confrontés car beaucoup de trajets que nous effectuons en voiture pourraient être faits à pied. Les pourcentages varient, mais dans la plupart des villes à travers le monde, 40 % de tous les voyages en voiture font moins de 3 kilomètres, ce qui signifie qu'on pourrait les faire en marchant en moins de trente minutes, en se faisant du bien en même temps qu'on contribuerait à améliorer notre environnement. Un bénéfice supplémentaire : pour les plus courts trajets – d'environ 1,5 kilomètre ou moins – marcher irait même plus vite que conduire, une fois que le temps passé aux feux rouges et à trouver une place pour se garer est inclus. Pourquoi, dès lors, prendre sa voiture ? Pour les courtes distances, la laisser au garage et marcher est l'un des moyens les plus simples et les plus efficaces de combattre la pollution de l'air. Pour celles et ceux qui ont encore besoin d'être convaincus, il est important de préciser que marcher plutôt que conduire pour les courts trajets génère des bénéfices « surdimensionnés ». La raison est la suivante : les courts voyages sont beaucoup plus polluants par kilomètre parcouru que les longs voyages car 60 % de la pollution produite par une voiture est émise durant les premières minutes après l'ignition, quand le moteur est encore froid et que les équipements chargés de contrôler les émissions n'ont pas encore atteint leur température optimale (lors d'un jour froid, une voiture à essence peut prendre

10 kilomètres avant d'opérer à pleine capacité). Tout cela pour dire qu'à chaque fois que nous avons l'occasion de remplacer un court trajet en voiture par une marche, il ne faut pas hésiter une seconde car les bénéfices sont immédiats et observables : différentes études estiment qu'un trajet d'un peu plus de 6 kilomètres effectué à pied plutôt qu'en voiture libère l'air que nous respirons d'environ 7 kilos de polluants.

Au-delà de cet effet positif sur la qualité de l'air, remplacer la voiture par la marche pour les courts trajets génère d'autres sortes de bénéfices. Tout d'abord, en réduisant le nombre total de voitures en circulation, la marche contribue à diminuer les embouteillages et le nombre d'accidents de circulation. Ensuite, moins il y a de voitures en circulation, moins il y a de pollution sonore causée par le bruit des moteurs, les klaxons, les sirènes des voitures de police, de pompiers et d'ambulances coincées dans les embouteillages… La pollution sonore en ville n'est peut-être pas la première chose qui vient à l'esprit lorsqu'on parle de remplacer la voiture par la marche, mais c'est une nuisance qui peut finir par nous pourrir la vie : le bruit exerce un effet très négatif sur notre sentiment général de bien-être, et peut finir par provoquer des troubles du sommeil et parfois même des pertes auditives lorsque nous sommes exposés dans la durée à un niveau sonore trop élevé (si nous habitons sur un grand boulevard ou une place très passante).

Pour résumer : marcher est l'une des manières les plus efficientes de se déplacer en ville, à la fois d'un point de vue économique (à la différence des transports en commun, c'est gratuit !) et des points de vue énergétique et de l'utilisation de l'espace urbain : la marche émet zéro carbone – elle est donc parfaitement respectueuse de l'environnement ; elle donne à la ville un sentiment de vitalité et de sécurité (les rues animées ou les rues piétonnes sont plus sûres et « joyeuses ») ; et ne provoque pas d'accident (deux piétons qui se télescopent, ce n'est jamais bien grave). Et pourtant, malgré tous ses avantages et aucun inconvénient (à l'exception du risque d'être mouillé par la pluie !), la marche régresse à cause d'un coupable qu'on peut facilement montrer du doigt : l'automobile. Au cours des dernières décennies, l'augmentation du nombre de voitures en circulation – de 30 % des ménages en 1961 aux États-Unis à 70 % en 1998 – est inversement corrélée avec la chute des distances parcourues à pied. Selon une enquête nationale sur le transport réalisée par le Département des Transports américain, la distance totale parcourue par personne par an a chuté de 244 *miles* (393 km) en 1986 à 189 *miles* (304 km) en 2001. Nous avons choisi l'exemple des États-Unis à dessein car c'est parmi tous les pays industrialisés celui où la population marche le moins et conduit le plus. Un Américain fait en moyenne 5 117 pas par jour, beaucoup mois qu'un Australien (9 695 pas par jour) ou qu'un Japonais (7 168 pas par jour). La marche est donc victime de la modernité. Même si les statistiques sur les distances que nous parcourons journellement sont sujettes à caution, le sens de la tendance est clair : partout dans le monde, la population marche moins et conduit plus. Il existe une exception importante : l'Europe, où la plupart des grandes villes se remettent à marcher. À Genève (la première à mettre en place un « plan piétons » en 1995), Paris, Londres, Vienne, Amsterdam et ailleurs, la marche devient un mode de transport de plus en plus utilisé. À l'échelle du globe, la marche pourrait se remettre en marche pour de bon avec la génération du millénaire, plus sensible que les précédentes aux questions environnementales, beaucoup moins intéressée par la voiture et avec une réelle appétence pour la marche. Mais, dans l'ensemble, c'est pour le moment une attitude confinée aux couches les plus aisées dans les pays riches. Il faudra attendre quelques années pour savoir si cette tendance gagnera suffisamment de terrain pour devenir globale et irréversible.

Dans une très large mesure, les bénéfices environnementaux de la marche sont un phénomène urbain : la ville concentre la plupart des problèmes de pollution de l'air et c'est en ville que vivent le plus grand nombre de gens. De nos jours, plus de personnes vivent en ville qu'à aucun autre moment dans l'histoire de l'humanité. En 1950, 30 % de la population mondiale était urbaine, 54 % en

2014 et sans doute plus de 66 % en 2050. Aucun retournement de tendance n'est prévu. Dans les vingt prochaines années, plus de deux milliards de personnes migreront des campagnes vers les villes, dont la plupart étoufferont sous la pollution. Ce sera notamment le cas pour les immenses méga-lopoles qui poussent comme des champignons en Asie et en Afrique. Des centaines de millions de gens y vivent exposés à des niveaux de pollution très élevés dont la dangerosité varie en fonction du climat et de l'activité économique. Dans les villes les plus concernées, comme Pékin, New Delhi ou Lagos, les niveaux de pollution de l'air excèdent communément ceux que l'OMS estime comme raisonnables pour la santé humaine par un facteur de dix, parfois vingt et même plus. Les capitales « riches » comme Londres, Paris ou New York, ne sont pas épargnées : elles connaissent toutes de pics de pollution qui contraignent les autorités à limiter l'usage de la voiture pour une période déterminée. Même dans la petite ville où nous écrivons ce livre (Chamonix), les pics de pollution causés en particulier par les émissions des moteurs diesel des véhicules qui empruntent le tunnel du Mont-Blanc sont une réalité récurrente qui commence à devenir un problème de santé publique. N'est-ce pas consternant de penser que l'une des plus belles vallées des Alpes ne puisse être épargnée par le cancer de la pollution qui ronge désormais une si grande partie du globe ?

Dans les grandes villes et les mégalopoles, la combinaison de très fortes densités de population et de niveaux de pollution élevés rend la question de leur habitabilité fondamentale. Si nous voulons éviter un futur cauchemardesque caractérisé par des catastrophes environnementales répétées et leurs inévitables conséquences sociopolitiques (migrations de masse forcées, conflits sociaux, violence urbaine, guerres, etc.), il faut agir maintenant. De manière certes modeste, la marche fait partie de l'arsenal de mesures nécessaires pour réduire la pollution de l'air et le risque climatique. Les décideurs politiques, les urbanistes, les architectes et les scientifiques (du mathématicien à l'anthropologue) doivent intégrer au maximum la marche dans les systèmes de transport, la rendant la plus accessible possible. Comment faire cela dans les villes qui ne lui sont pas propices (ce qui ne concerne pas les capitales européennes, toujours construites autour d'un centre qui y invite) ou dans les zones urbaines qui ne peuvent être facilement réaménagées (comme les banlieues des grandes villes américaines) ? Une initiative lancée aux États-Unis sous le nom « Design pour la marchabilité » affirme que de petites interventions sont suffisantes pour rénover les zones périurbaines et les rendre propices à la marche. Sept choses sont nécessaires pour y parvenir : créer des plans de circulation très précis et détaillés pour les piétons, orienter les immeubles vers la rue, organiser un soutien de l'activité publique (jardins, jeux, etc.), placer les parkings derrière ou sous les immeubles (jamais devant), renforcer la dimension humaine de la ville grâce à l'aménagement paysager, s'assurer qu'il existe partout un accès piétonnier clair, construire des rues continues (qui ne soient pas coupées par une grande artère ou autre chose). Si ces sept mesures étaient instituées partout, elles rendraient les villes beaucoup plus adaptées à la marche, et en conséquence beaucoup plus agréables pour leurs habitants et leurs visiteurs. Plus que toute autre chose, ce sont les parkings qui incarnent et exacerbent ce qui ne va pas avec la voiture en ville. Non seulement ils entravent notre capacité de marcher, mais ils abîment aussi l'architecture. Un parking exige beaucoup d'espace : de 12 à 14 mètres carrés par voiture, surface qui double après avoir rajouté les voies d'accès et de sortie. Dans certaines villes, particulièrement aux États-Unis où les terrains sont abondants et bon marché, d'énormes parkings rendent le centre-ville semblable à une mer d'asphalte où surnagent les mâts de quelques immeubles. Ce triste spectacle implique les conséquences suivantes : plus il y a de parkings, plus il est facile de se garer, ce qui accroît l'incitation à conduire en ville, qui conduit à son tour à augmenter la pollution de l'air, qui rend la perspective de marcher beaucoup moins séduisante. Il n'y a qu'un seul moyen de briser ce cercle vicieux : restituer la ville aux piétons. L'Europe est à la pointe dans ce domaine, mais certaines villes américaines comme Portland ont aussi réussi à inverser la tendance du « toujours plus de voitures ». Il y a désormais tellement de preuves (corroborées en particulier par les chiffres du tourisme) que les villes les plus propices à la marche sont aussi celles qui sont les plus propres (d'un point de vue environnemental), les plus séduisantes, les plus durables, les plus vivantes et souvent les plus sûres qu'il n'y a plus d'excuses pour ne pas rendre le plus grand nombre de villes aussi « vertes » que possible en rendant au marcheur la place qu'il mérite au cœur de la cité.

LES POINTS CLÉS

1. Moins conduire et marcher plus pourraient significativement réduire la pollution de l'air.
2. La marche est en déclin relatif à cause de l'automobile.
3. Les villes doivent être mieux aménagées pour laisser la marche s'épanouir.

9

C'EST SI « BON » QUE CE SERA RENDU OBLIGATOIRE

En 2014, à l'occasion du *Global Wellness Summit* à New Delhi, j'avais prononcé le discours d'ouverture et lancé en plaisantant à moitié l'idée que le bien-être allait être rendu obligatoire. Les cinq cents participants présents – pour la plupart des grands investisseurs dans l'industrie du bien-être et de nombreuses sommités médicales – avaient réagi avec étonnement, à l'exception du dalaï-lama pour qui l'idée semblait aller de soi ! C'était évidemment une provocation, mais qu'il ne faut plus prendre à la légère. Dans un futur plus proche qu'on ne l'imagine, cela signifie que la marche – l'une des manières les plus simples et les plus économiques d'être bien – pourrait devenir une obligation imposée à chacun d'entre nous par nos employeurs, nos sociétés d'assurance et même nos gouvernements. Si cela devient le cas, on n'aura pas d'autre choix que de s'habituer à marcher. Préparons-nous donc, car l'idée fait déjà son chemin.

Pour saisir pourquoi le bien-être (qu'on utilise ici comme synonyme de bonne santé, physique et mentale) deviendra bientôt une nécessité collective, il faut comprendre que : les coûts associés au « mal-être », en particulier ceux des maladies dépendantes de nos choix de vie, explosent, alors que dans le même temps et partout dans le monde, les gouvernements cherchent à réduire le coût des dépenses de santé.

Pour comprendre ce second point, il faut réaliser la chose suivante : en 2016, l'endettement brut global s'élevait à 152 trilliards de dollars, un chiffre considérable correspondant à 225 % du PNB mondial (contre 200 % en 2012). Si les taux d'intérêt restent aussi bas qu'ils le sont aujourd'hui, ce problème de surendettement peut attendre, mais la taille monumentale de la dette représentera une véritable poudrière lors de la prochaine crise financière et constitue aussi un facteur de ralentissement pour une relance globale durable. L'accroissement des dépenses de santé combiné à cette situation générale de surendettement fait que les gouvernements seront bientôt obligés de contenir les dépenses médicales par tous les moyens possibles. Cela commencera par là où c'est le plus simple et le moins cher : en contraignant les populations à adopter un mode de vie susceptible de prévenir la maladie.

En ce qui concerne le premier point, les chiffres donnent le vertige, et ce qui saute aux yeux, c'est que beaucoup d'entre nous ne bougent pas assez. L'OMS définit l'inactivité chez l'adulte comme l'incapacité de pratiquer plus de 150 minutes d'exercice modéré ou intensif par semaine. Le nombre de personnes restant en deçà de ce seuil est plus élevé qu'on ne pourrait l'imaginer. Dans le cas des États-Unis, le Conseil présidentiel sur la Santé, les Sports et la Nutrition estimait en 2015 qu'un adulte sur deux ne pratiquait pas le montant d'activité physique recommandé par semaine. Les chiffres sont à peu près les mêmes pour la France et dans la plupart des pays riches (avec cependant de fortes variations). Cette paresse a un prix. En 2016, *The Lancet* (la fameuse revue médicale en langue anglaise) a publié une étude ayant cherché pour la première fois à quantifier le coût global de l'inactivité physique, l'estimant à 67,5 milliards de dollars par an (dont les États-Unis représentent deux cinquièmes du total). Cette étude pionnière a calculé ce coût en considérant les dépenses directes, les pertes de productivité, et les pertes d'années de vie corrigées de l'inca-pacité (AVCI) pour cinq maladies majeures : les maladies cardiaques coronariennes, les attaques cérébrales, les diabètes de type 2, le cancer du sein et le cancer du côlon. Et pourtant, ces montants considérables ne sont selon les auteurs de l'étude qu'une « estimation prudente du fardeau écono-mique attribué à l'inactivité de l'adulte ». Le coût réel est probablement deux ou trois fois supérieur à ce qu'elle suggère car les problèmes médicaux découlant de l'inactivité excèdent très largement les cinq maladies citées, et l'impact négatif sur la productivité est beaucoup plus large que celui mesuré dans l'étude.

Ensuite il y a l'obésité. Plus de 2,1 milliards de personnes dans le monde sont en situation de surpoids ou d'obésité – plus de deux fois et demie le nombre d'enfants et d'adultes sous-alimentés. Selon le McKinsey Global Institute, l'impact économique total de l'obésité, responsable d'environ 5 % des décès dans le monde, s'élève à deux trilliards de dollars par an, soit 2,8 % du PNB mondial annuel. Ce fardeau économique et financier devrait empirer dans les années qui viennent, car si la tendance actuelle se poursuit, presque la moitié de la population mondiale deviendra obèse ou en surpoids avant 2030. Cette épidémie globale n'est pas confinée aux pays les plus riches, car au fur et à mesure que les pays émergents sortent de la pauvreté, leurs populations tendent à grossir. Aujourd'hui, plus de 60 % de la population obèse vit dans les pays émergents, où l'industrialisation et l'urbanisation rapides accroissent les revenus autant que l'apport en calories. En Chine et en Inde, comme dans la

plupart des pays qui connaissent une forte croissance économique, l'obésité dans les villes est trois
à quatre fois supérieure à celle dans les campagnes.
En particulier, les taux d'obésité tendent à exploser
dans les endroits où la nourriture, autrefois rare,
devient soudainement abondante. L'État de Nauru
dans les îles micronésiennes en offre un exemple
saisissant. Au milieu du XXe siècle, un boom dans les
mines de phosphate a transformé ce petit état qui
souffrait de pénuries alimentaires et de famines en
leader mondial de l'obésité et du diabète de type
2. Plus de 90 % de la population adulte de l'île est
en surpoids et plus de 70 % sont obèses. À l'autre
bout du spectre en termes de richesse, le problème
est aussi aigu dans l'un de pays les plus riches au
monde : les États-Unis. En Californie (l'un des
états américains les plus soucieux de la santé de
ses citoyens), 55 % des adultes sont diabétiques
ou prédiabétiques – un état physique dans lequel
les niveaux de glucose dans le sang sont plus élevés que la normale, mais pas suffisamment pour
qualifier la personne de diabétique. Les experts
affirment que la propagation de la maladie ne sera

contenue que si les personnes à risque adoptent un régime alimentaire plus sain et accroissent leur activité physique : la très grande majorité des cas de diabète en Californie – plus de 90 % – sont de type 2, donc évitables. Parmi les 74 mesures proposées par le McKinsey Global Institute pour réduire le risque induit par l'obésité, la marche figure de manière prééminente, en particulier au travers du réaménagement urbain (ce qu'on a vu dans le chapitre 7). En bref : inverser l'obésité est un impératif économique et financier catégorique. À titre d'exemple, le gouvernement britannique estime que l'inversion de tendance permettrait au *National Health Service* (le service public de santé) d'économiser à lui seul environ 1,2 milliard de dollars par an.

Un autre facteur légitimant puissamment l'idée de « marche obligatoire » est le vieillissement global, qui représente une véritable bombe à retardement pour l'économie mondiale. La croissance de la population n'est plus dictée par les taux de natalité (qui ont plongé pratiquement partout malgré quelques exceptions, en particulier l'Inde et l'Afrique), mais par un accroissement du nombre de personnes âgées. D'ici le milieu du XXIᵉ siècle, la population globale d'enfants de moins de cinq ans devrait se réduire d'environ 50 millions, alors que celle de plus de 60 ans s'accroîtra de 1,2 milliard. La raison est simple : nous vivons désormais jusqu'à un âge avancé. Dans le monde occidental, il y a une très rapide augmentation du nombre de gens qui passent le cap de la soixantaine, et d'ici vingt ans, il y aura une explosion d'octogénaires. Dans les prochaines décennies, le reste du monde suivra la tendance de vieillissement qu'on observe aujourd'hui dans le monde occidental. Alors que notre durée de vie s'accroît, la question cruciale devient celle de l'espérance de vie en bonne santé ; ce qui signifie : ajouter non pas plus d'années à la vie, mais plus de vie aux années. Notre incapacité actuelle de vieillir en bonne santé, et les risques que cela comporte en termes de maladies chroniques et évitables, conduit à une explosion des dépenses de santé qui finira bientôt par excéder les capacités de financement de certains états.

De surcroît, une durée de vie prolongée (en moyenne, nous vivrons jusqu'à 90 ans ou plus) signifie que beaucoup de pays ne seront pas en mesure de financer leurs systèmes de retraite. Ils devront obliger leurs citoyens à travailler jusqu'à un âge avancé, ce que les personnes en mauvaise santé, physique ou morale, seront incapables de faire. Cette combinaison d'accroissement inexorable des dépenses de santé et de coûts de financement des retraites signifie que les gouvernements n'auront d'autre choix que d'inciter, sinon de « forcer », leurs citoyens à vieillir en « pleine forme » (ou en aussi bonne forme que l'âge le permet). L'alternative : des coupes budgétaires là où elles restent possibles, comme dans l'éducation, la sécurité ou la recherche et le développement. La décision paraît évidente…

Quelle est la solution la plus simple et la moins onéreuse dans un environnement global où les nations sont surendettées et ne disposent d'aucune marge de manœuvre fiscale ? La marche bien entendu !

Lorsqu'on agrège les coûts causés par les trois grands problèmes de l'inactivité, de l'obésité et du vieillissement, on se rend compte qu'au cours des prochaines années, le maximum sera fait pour encourager l'activité physique. C'est inévitable, et cela passera par des systèmes d'incitations et de récompenses de nature différente. En ce moment, l'éducation seule ne suffit pas à combattre l'impact négatif considérable du mal-être sur les dépenses de santé et l'espérance de vie en bonne santé. Partout dans le monde, un nombre croissant de pays, du Bhoutan à Dubaï et de la Thaïlande au Royaume-Uni, commencent de mesurer notre bonheur (notre « bien-être subjectif » dans le jargon des économistes) avec l'idée de le promouvoir au travers d'instruments de politique économique. Par exemple, la mise en place d'une taxe supplémentaire sur les boissons sucrées, la malbouffe et les aliments transformés afin de décourager la mauvaise alimentation gagne du terrain dans de très nombreux pays du monde. C'est une taxe qui donne de bons résultats et est supposée améliorer notre bien-être social et subjectif (en réduisant l'obésité et ses conséquences négatives en termes de bien-être). Cependant, elle est très difficile à mettre en œuvre dans un environnement dominé par les grandes compagnies agroalimentaires qui ont tout intérêt à promouvoir la consommation excessive. Dans un tel contexte où les multinationales dépensent des fortunes en frais de lobbying pour empêcher la mise en place de législations qui leur sont défavorables, les gouvernements se tourneront vers les mesures les plus simples et les plus « neutres ». La marche en fait partie : elle représente un instrument politique qui n'offusque pas le pouvoir des grandes sociétés et peut être mis en place pour trois fois rien ! Une politique destinée à encourager la marche ne requiert pas d'installation coûteuse ou d'équipements particuliers, ni la nécessité d'instituer une législation complexe. Par conséquent, elle deviendra bientôt un instrument de choix dans la boîte à outils des décideurs politiques désireux, ou contraints par la nécessité, de promouvoir le bien-être.

La preuve que la marche économise l'argent des contribuables et réduit les dépenses de santé est désormais irréfutable. En 2016, une pléthore d'analyses et d'articles scientifiques a démontré que les bénéfices de l'activité physique sont « presque incalculables » (selon l'expression de Gretchen Reynolds, l'éditorialiste « santé » du *New York Times*). La plupart de ces preuves convergent pour conclure que l'exercice fait le plus grand bien au corps et à l'esprit, d'une manière souvent invisible mais profonde et diffuse. Une étude, en particulier, montre que si chaque Américain marchait au moins trente minutes par jour, il pourrait économiser en moyenne 2 500 dollars de frais médicaux en cardiologie par an. Au risque de nous répéter, le point fondamental est le suivant : les systèmes de santé, partout dans le monde, sont soumis à une telle pression financière qu'il est impossible de ne pas croire que les autorités publiques, ainsi que les sociétés privées feront le maximum pour convaincre leurs citoyens et employés de faire davantage d'exercice. Nous avons par conséquent la conviction que petit à petit, la marche sera rendue obligatoire. Au départ, les incitations feront suite aux encouragements, puis les obligations feront suite aux incitations. Cela posera d'énormes problèmes en termes de discrimination et de respect de la vie privée, mais les nécessités financières combinées aux possibilités technologiques rendront cette progression inévitable.

Beaucoup de projets basés sur la motivation existent déjà, sous des formes très différentes. Au Royaume-Uni, l'un des pays avec la plus forte prévalence d'obésité infantile au monde, un projet intitulé « un *mile* par jour » (*Daily mile* : soit un peu plus de 1,5 km) espère s'attaquer à la crise nationale d'obésité. Chaque jour, des dizaines de milliers d'écoliers britanniques, en plus de leurs cours d'éducation physique, marchent, trottent ou courent un *mile* dans le cadre de l'accord volontaire du « *mile* par jour ». Ils ne changent pas de vêtements, ils ne concourent pas, ils parcourent juste un *mile*. En avril 2017, 1 700 écoles britanniques étaient impliquées dans ce projet, et plus de 2 500 autres dans le monde. L'Écosse souhaite aller un peu plus loin et devenir la première nation du « *mile* par jour » au monde en étendant l'idée des écoles aux jardins d'enfants, aux collèges, aux universités et lieux de travail partout dans le pays. Dans un esprit comparable, mais d'une façon beaucoup plus directive et quantifiable, une université américaine a rendu les *Fitbits* (des bracelets de mesure de l'activité connectés) obligatoires pour ses étudiants. Les résultats concernant le nombre de pas (qui ne doivent pas être inférieurs à 10 000 par jour) et le rythme cardiaque sont automatiquement transférés du bracelet de l'étudiant au système de gestion de l'apprentissage et pris en compte dans la notation finale. Les étudiants qui ne progressent pas physiquement doivent prendre des cours d'éducation physique de rattrapage. Ce genre de pratique, qui aurait sa place dans *1984* de George Orwell, s'étend désormais au monde du travail. Une compagnie technologique chinoise force déjà ses employés à faire plus de 10 000 pas par jour, les obligeant à s'enregistrer sur une fonction de WeChat qui mesure le nombre de pas journaliers. Pour se justifier, la société vante les « énormes » bénéfices réalisés en termes de productivité et de meilleure santé de sa main-d'œuvre.

Nous pourrions multiplier ce genre d'exemples *ad libitum*, mais la leçon à retenir est claire, tout comme le sens de la tendance.

La plupart des gouvernements dans le monde émettent des directives sur les niveaux d'activité physique recommandés, incluant la marche ; mais il semblerait qu'elles restent ignorées. Une enquête récente publiée en Grande-Bretagne révèle que seuls 5 % du public connaissent ces recommandations. Il y a de fortes chances pour que ce ne soit pas très différent ailleurs. La question clé est donc : Quand les recommandations deviendront-elles une obligation instituée par contrat (pour une société privée) ou par la loi (pour l'État) ? Sans doute plus rapidement qu'on ne l'imagine, car les incitations financières pour le faire vite croissent, mais aussi parce que les innovations technologiques accéléreront ce processus.

Jusqu'où cela ira-t-il et combien de temps cela prendra-t-il avant que la marche devienne obligatoire ou quasi obligatoire ?

La réponse se trouve à la croisée d'innovations dont on ignore les potentialités avant d'en disposer, combinées avec un petit coup de pouce, dont l'argent constitue souvent l'une des formes les plus efficientes. Ainsi, deux entrepreneurs, inspirés par le succès de Bitcoin et stimulés par l'efficacité des nouveaux compteurs de pas intégrés dans les smartphones, ont lancé une nouvelle monnaie numérique (naturellement appelée *Bitwalking*) qui permettra aux marcheurs de gagner 1 BW$ (l'équivalent d'un dollar) pour chaque bloc de 10 000 pas. L'idée est d'offrir une incitation financière pour convaincre les gens d'être en forme, en créant d'abord un partenariat avec des marques de sport, des sociétés d'assurance, des services de santé, des groupes environnementaux, et ensuite des publicitaires et des sociétés de marketing qui disposeront d'énormes volumes de données qu'elles pourront utiliser à leur convenance. À une étape ultérieure, les employeurs seront invités à participer au projet et à le proposer à leurs employés, qu'ils encourageront ainsi à maintenir leur forme ou à la retrouver. La monnaie numérique qu'ils gagneront en marchant pourrait être convertie en espèces sonnantes et trébuchantes et rajoutée à la feuille de paie, complétant ainsi le salaire. Des innovations comme celle-ci (et il y en aura beaucoup d'autres !) visent à utiliser la puissance des nouvelles technologies pour améliorer notre santé et accroître notre bien-être. Elles ont le potentiel d'offrir des solutions efficaces aux problèmes économiques et sociétaux posés par l'inactivité et le mal-être, mais elles soulèvent d'énormes problèmes éthiques qui vont du respect de la vie privée à la sécurité, en passant par la discrimination. La question de la vie privée va peser de plus en plus lourd, et le débat sur sa signification dans un monde devenu transparent ne fait que commencer, avec l'internet, jusqu'ici perçu comme un instrument de libération et de démocratisation, risquant de devenir un instrument de surveillance de masse omniprésent et utilisé sans discernement. Pourquoi la protection de la vie privée importe-t-elle autant ? On a tous une compréhension instinctive de son rôle : chacun d'entre nous a besoin d'un espace mental libre du jugement des autres ; et même pour ceux qui prétendent que la vie privée n'a pas d'importance car ils n'ont rien à cacher, il y a toutes sortes de choses que nous faisons, disons et pensons que nous ne voudrions pas qu'une autre personne sache. D'ailleurs, de nombreux travaux de recherche montrent que lorsqu'une personne sait qu'elle est observée, son comportement devient plus conformiste et plus « accommodant ». Mais toutes ces questions de sécurité et de vie privée finiront par être résolues (pas forcément d'une manière qui nous satisfera) ou passeront à l'arrière-plan. En effet, les bénéfices en termes économiques et financiers ainsi que les gains de productivité associés à ces nouvelles technologies rendent leur mise en place inévitable. Dans un premier temps, les traqueurs de santé physique comme les bracelets connectés deviendront de plus en plus répandus et « recommandés » (par l'employeur, des organisations privées, des clubs de sport, etc.) Au travers de leurs applications, ils utiliseront les données recueillies pour conseiller leurs utilisateurs sur la meilleure manière de maintenir sa forme et de progresser, mais aussi pour informer les employeurs ou les organisations des habitudes et modes de vie des utilisateurs. Ce qui se passe en ce moment avec les dispositifs mobiles de bien-être nous donne une idée de la rapidité avec laquelle les choses progressent. Dans le monde occidental, et en particulier anglo-saxon, un nombre croissant de sociétés d'assurance offrent désormais (ou sont sur le point de le faire) le deal suivant à leurs clients : si vous portez un dispositif de monitoring de bien-être (destiné à mesurer les heures de sommeil, le nombre de pas, la quantité de calories absorbées, etc.) et que vous acceptez de partager ces informations avec nous, nous vous offrirons un rabais sur votre prime d'assurance maladie. Est-ce un développement que nous devrions accueillir à bras ouverts car il nous incite à davantage de bien-être ? Ou est-ce un pas terrifiant vers un monde orwellien dans lequel les gouvernements et les sociétés privées exerceront un contrôle permanent sur nos faits et gestes ? Pour le moment, l'exemple qu'on vient de donner relève du choix individuel : la décision d'accepter de porter, ou pas, un bracelet connecté.

Mais poussons la démonstration un peu plus loin. Imaginons que c'est maintenant l'employeur qui oblige ses employés à porter le dispositif afin de transmettre les données directement à la compagnie d'assurances dans le but d'accroître la productivité de l'entreprise et de diminuer les coûts d'assurance santé. Que se passera-t-il s'il force les employés réticents à payer une amende ou s'il insinue qu'une augmentation de salaire est en jeu (la question s'est déjà posée devant les tribunaux aux États-Unis) ? Ce qui était auparavant une problématique relevant d'un choix individuel (porter le bracelet connecté ou non) devient une question de conformité à de nouvelles normes sociales qui peuvent être jugées inacceptables ou immorales. Au fur et à mesure qu'elles évoluent, toutes ces technologies vont devenir de plus en plus intrusives. Nous n'en sommes pas encore là, mais la technologie existe... Un jour viendra où les sociétés privées et les gouvernements implanteront des puces intégrées sous notre peau ou directement dans notre cerveau en utilisant des biosenseurs pour suivre nos habitudes de marche.

Alors que nous entrons dans une ère dominée par une avalanche de données (le *big data*), des algorithmes interpréteront sans interruption – 24 heures sur 24, 7 jours sur 7 – des pétaoctets d'informations pour disséquer chacun d'entre nous, y compris nos mouvements, les pas que nous effectuons, et l'effet que tout cela peut avoir sur notre santé. Des solutions algorithmiques estimeront notre état de santé et détermineront ce que nous devrons payer comme primes d'assurance santé, recevoir en remboursements médicaux, et peut-être même les nouveaux termes de notre contrat social…

Le *Summit of Minds* : une utilisation bienveillante des compteurs de pas

Chaque année, le Baromètre Mensuel remercie deux cent cinquante de ses abonnés en les invitant à Chamonix pour un *Summit of Minds* : trois jours de réflexion sur les perspectives mondiales dans une ambiance informelle et décontractée. Fidèles à nos principes, nous proposons à nos invités (des décideurs politiques, des leaders économiques et des « faiseurs d'opinion » venant du monde entier) de cogiter tout en marchant, ou parfois en grimpant. Nous leur proposons des ateliers de réflexion sur des sujets aussi différents que la stabilité du système financier international, la confrontation potentielle entre les États-Unis et la Chine ou les sources d'énergie alternatives en marchant par petits groupes dans des lieux splendides et inspirants (comme la traversée entre Planpraz et le Brévent ou entre le plan de l'Aiguille et le Montenvers). Depuis deux ans, en collaboration avec notre principal partenaire (Société Générale Private Banking), nous utilisons un compteur de pas qui agrège de manière anonyme les dizaines de milliers de pas parcourus par tous nos participants durant l'événement et les convertit en euros. Société Générale Private Banking double ensuite la somme et la reverse en totalité à une fondation qu'elle soutient, prouvant ainsi qu'on peut exploiter la puissance de la technologie avec bienveillance et discrétion, et de manière utile et positive.

LES POINTS CLÉS

1. Pour la plupart des pays, le coût
du mal-être devient financièrement
insupportable.
2. Rendre la marche « obligatoire »
serait une solution simple et économique
à beaucoup de problèmes.
3. La technologie aidera les
gouvernements et le secteur privé
à inciter les gens à marcher davantage.

10

C'EST UN MUST – SELON LES ÉCRIVAINS ET LES PHILOSOPHES

Je suis toujours surpris par le nombre de mes clients, quelle que soit leur nationalité, qui mentionnent au détour d'une conversation professionnelle un roman ou un essai sur la marche. Chaque pays, de la Chine au Chili, de l'Inde au Canada, de la Nouvelle-Zélande à l'Afrique du Sud en passant par l'Islande, semble disposer de sa propre littérature de la marche (souvent comme une composante de la littérature de voyage). Il est vrai que marcher et écrire possèdent de nombreux points communs. Les deux démarrent avec un simple pas : physique dans le cas de la marche et métaphorique (un mot) dans le cas de l'écriture. Les deux activités impliquent ensuite la recherche du bon rythme – celui qui, une fois établi, permet un enchaînement facile : un pied devant l'autre, un mot après l'autre, et ainsi de suite, jusqu'à ce que nous soyons parvenus à destination. Pour les deux, il s'agit de cheminer et d'avancer : les mots et les phrases que nous utilisons pour écrire sont la marque d'une progression, pas à pas. Marche et écriture constituent aussi un processus d'appropriation : de notre environnement physique pour l'un, et de notre environnement mental pour l'autre. C'est dans cette appropriation partagée qu'ils convergent. Comme le fait remarquer Geoff Nicholson dans *L'Art perdu de la marche*, les deux sont une manière de faire le monde nôtre. À la lumière de tout ce qui précède, nous ne devrions pas être surpris que pour beaucoup de personnes dont la préoccupation (et l'occupation) est d'imaginer le monde et d'y définir notre place (les écrivains et les philosophes), marcher est souvent bien plus qu'une simple source de plaisir ou d'exercice physique : c'est une absolue nécessité, et parfois même une obsession. La littérature ouvre une fenêtre unique sur le monde de nos pensées et de nos émotions, et pour beaucoup d'entre nous, ce que nous apprenons de la vie – ses mystères, ses dilemmes, ses paradoxes – nous parvient au travers des romans que nous lisons et des arguments philosophiques auxquels nous sommes exposés. Pour toutes ces raisons, l'obsession de la marche partagée par tant d'auteurs, romanciers et philosophes, doit avoir quelque chose d'important à nous apprendre.

La liste de grands philosophes et écrivains (romanciers et poètes) qui étaient aussi de grands marcheurs est longue et remonte loin en arrière. Dès ses origines, la philosophie regorge d'exemples prouvant que marcher et penser sont étroitement imbriqués l'un dans l'autre. Déjà au IVe siècle avant J.-C., alors qu'on l'interrogeait sur le paradoxe de Zénon selon lequel le mouvement est une illusion, le philosophe grec Diogène se leva, marcha et répondit : « Il est résolu en marchant. » Était-il le premier à exprimer la conviction que marcher peut résoudre un problème – *solvitur ambulando* ? Peut-être, mais beaucoup d'autres allaient saisir l'idée, en la prenant souvent à la lettre. Aristote, l'un des contemporains de Diogène, avait pour habitude de penser, parler et enseigner en marchant, une habitude si forte que ses étudiants étaient connus sous le nom de péripatéticiens, ceux « qui se promènent en discutant », liant ainsi la pensée et la marche. Quelques siècles plus tard, Montaigne fut parmi ceux qui prirent le principe du *solvitur ambulando* à la lettre. Dans ses *Essais* (1595), il écrit : « Mes pensées dorment si je les assis. Mon esprit ne va si les jambes ne l'agitent. » Environ deux siècles après, Jean-Jacques Rousseau, dont la théorie de l'homme naturellement bon puise ses origines dans la solitude de la marche, écrit dans *Les Confessions* : « La marche a quelque chose qui anime et avive mes idées : je ne puis presque penser quand je reste en place, il faut que mon corps soit en branle pour y mettre mon esprit. » Toute sa vie, Rousseau rappela à ses lecteurs que la marche constituait un préalable indispensable à la création et l'inspiration, mais avant tout à la capacité de penser avec clarté. Nietzsche poussa à l'extrême cette conviction que la marche n'est pas une distraction, mais la condition *sine qua non* du travail d'écriture. Il est célèbre pour avoir écrit dans *Crépuscule des idoles* : « Seules les pensées qu'on a en marchant valent quelque chose. » D'ailleurs, Nietzsche ne devint productif d'un point de vue philosophique qu'après avoir abandonné l'université pour une vie de nomade. Malgré sa mauvaise santé, c'était un marcheur infatigable, sortant se promener dès que l'occasion se présentait. Au début des années 1880, alors qu'il vivait dans les hauteurs de Nice, il avait pour habitude de marcher chaque jour jusqu'au village médiéval d'Eze, perché sur un piton rocheux 500 mètres plus haut. À cette époque, il partait pour des balades de sept ou huit heures durant lesquelles il réfléchissait à la composition de ses livres. Kant, un autre philosophe allemand du siècle précédent et dont Nietzsche respectait la pensée, n'aurait pas pu avoir une existence plus différente en termes de mode de vie et de méthode de travail. Pourtant, lui aussi partageait l'obsession de la marche, bien qu'il la pratiquât d'une manière complètement opposée. Kant n'était pas un aventurier, avait une manière inflexible d'organiser sa vie et ne voyageait pas (il ne quitta jamais Königsberg, sa ville natale), et pourtant, comme pour Nietzsche, aller marcher était pour lui une nécessité vitale. Les balades de Kant étaient toujours brèves et réglées comme un métronome. Tous les jours, à 17 heures précises, il partait pour une promenade en ville d'une heure, empruntant systématiquement le même chemin dont il ne déviait jamais d'un iota. Une activité sans doute dépourvue de plaisir, mais nécessaire. Ou peut-être était-ce dans cette monotonie, cette régularité précise et inébranlable, que Kant puisait son inspiration et organisait ses pensées ? Sans doute, autrement pourquoi l'aurait-il fait ? Comme l'écrit Daniel Gros dans *Une philosophie de la marche* : « Quand on marche, on n'est pas obligé de penser – de penser ceci ou cela, ou d'aimer ceci ou cela. Durant cet effort continu mais automatique du corps, l'esprit est libre de vagabonder. C'est alors que les pensées surgissent ou prennent forme. »

Beaucoup d'auteurs ont une compréhension intuitive et claire de la relation étroite entre marche et écriture, qu'ils ont exploitée dans leur travail, mais pas toujours de la même manière. Pour certains, il s'agissait d'une nécessité physique absolue. L'Américain David Thoreau, par exemple, marchait plusieurs heures chaque jour. Il en éprouvait un besoin viscéral, non pas comme une fin en soi, mais comme un but en lui-même – une condition *sine qua non* précédant l'acte d'écriture. Dans le *Journal* (1851), il observe : « Comme il est vain de s'asseoir pour écrire quand on ne s'est pas levé pour vivre ! Je pense que dès lors que mes jambes commencent à bouger, mes pensées commencent de couler. » Dans *De la marche* (1862), il affirme : « Il m'est impossible de me conserver en bonne santé et en bonne humeur si je ne consacre pas au moins quatre heures par jour, et ordinairement davantage, à vagabonder dans les bois, sur les collines et par les champs. Il m'est impossible de rester un jour dans ma chambre sans me rouiller. » Charles Dickens était un autre marcheur compulsif pour qui écrire aurait été tout simplement impossible sans l'apport continuel de la marche qui pouvait durer des heures et des heures. Ses balades quotidiennes constituaient une échappatoire à tout ce qui contraignait sa créativité, une source d'inspiration autant qu'un régulateur d'humeur aux capacités réparatrices quasi surnaturelles. Dans une lettre adressée de Boulogne, où il passa quelques étés au milieu des années 1850, il écrit : « Si je ne pouvais pas marcher vite et loin, j'exploserais et périrais. » Dickens marchait un minimum de quatre heures par jour à un rythme rapide (parcourant environ 20 km), mais souvent davantage, et souvent la nuit. C'est durant ces pérégrinations nocturnes qu'il observait les classes pauvres et populaires qu'il décrivit avec autant d'acuité dans ses romans.

Le nombre de poètes qui étaient aussi des marcheurs résolus est tel que ce ne peut être une coïncidence, ni d'ailleurs le fait que le rythme de leurs vers soit mesuré en « pieds » ou « mètres syllabiques ». Des poètes aussi différents que Shelley, Goethe, Browning ou Lamartine se promenaient partout pour imbiber leur esprit d'images, d'impressions, de sentiments, d'idées, d'émotions. D'autres, comme Wordsworth, Baudelaire ou Whitman devaient marcher afin d'être créatifs.

Pour eux, comme pour Nietzsche ou Dickens, la marche était une nécessité absolue et le principal « instrument » de leur composition. À l'instar des romantiques, Wordsworth aimait marcher dans la nature, composant la plupart de ses poèmes en se frayant un chemin parmi les prés, la lande ou les montagnes, sans jamais se soucier du temps. Il marcha presque chaque jour de sa vie. Il était connu pour cela, et quand un voyageur demanda un jour à sa servante de lui montrer le « bureau du poète », elle répondit en désignant une pièce remplie de livres : « Voici sa librairie, mais son bureau est dehors. » Selon le témoignage de l'un de ses amis, il marcha plus de 180 000 *miles* durant sa vie (un peu moins de 300 000 km), une moyenne d'environ 10 kilomètres par jour depuis celui de sa naissance jusqu'à sa mort. À l'âge de 60 ans (un âge très avancé pour l'époque) et même au-delà, il avait pour habitude de partir pour des promenades de 30 kilomètres. Baudelaire et Whitman avaient aussi besoin de marcher, mais trouvaient leur inspiration en ville plutôt que dans la nature. Les deux incarnaient la quintessence du flâneur ;

ils éprouvaient dans leurs tripes le besoin physique de sillonner et disséquer la ville (Paris pour Baudelaire, New York pour Whitman) avant de pouvoir en retranscrire les humeurs et les méandres dans leurs poèmes.

Beaucoup d'écrivains ne s'adonnent pas aux mêmes marches compulsives qu'un Dickens ou qu'un Wordsworth, mais considèrent néanmoins ces évasions comme une condition nécessaire pour laisser libre cours à leur imagination et à leur réflexion ; comme un espace où faire provision d'images et de sensations. La marche devient alors une muse – la « muse pédestre » chère à Victor Hugo. Dans *Le Rhin, lettres à un ami*, il écrit : « Rien n'est charmant, à mon sens, comme cette façon de voyager. – À pied ! – On s'appartient, on est libre, on est joyeux […] On part, on s'arrête, on repart ; rien ne gêne, rien ne retient. On va et on rêve devant soi. La marche berce la rêverie ; la rêverie voile la fatigue. La beauté du paysage cache la longueur du chemin. On ne voyage pas, on erre. À chaque pas qu'on fait, il vous vient une idée […] *Musa pedestris*. Et puis tout vient à l'homme qui marche. Il ne lui surgit pas seulement des idées, il lui échoit des aventures. » Dans un registre différent, la créativité de Virginia Woolf dépendait pour une large part de ses balades dans les collines du sud de l'Angleterre, où elle trouvait « l'espace pour étendre son esprit ». Mais la ville faisait aussi l'affaire. Un après-midi, en marchant dans Tavistock, un quartier de Londres, un élan de créativité suscité par sa déambulation lui fournit l'idée de *La Promenade au phare*, l'un de ses livres majeurs. Dans une lettre adressée en 1930 à la compositrice Ethel Smyth, elle écrit : « Je ne peux parvenir à un sens d'unité et de cohérence, et de tout ce qui me donne envie d'écrire *La Promenade au phare* à moins d'être perpétuellement stimulée. Cette stimulation vient de mon engagement avec le monde, de mes plongées dans Londres, en marchant sans cesse pour raviver mes sens. » Ernest Hemingway est un autre auteur pour qui marcher constituait le meilleur moyen de réfléchir à un problème. Dans *Paris est une fête*, il dit : « J'allais marcher le long des quais quand j'avais fini mon travail ou quand j'avais besoin de réfléchir à quelque chose », et aussi :

« C'était plus facile de penser quand je marchais. » Même pour les auteurs convaincus qu'« on ne peut penser et écrire qu'assis » (une citation attribuée à Flaubert, qui lui valut les foudres de Nietzsche), la pratique de la marche semble servir d'exutoire afin d'assouvir un désir de création et de ménager un espace de liberté. Dans une lettre adressée le 26 août 1853 à Louise Colet, alors qu'il est plongé dans la rédaction de *Madame Bovary*, Flaubert confie : « Je marche beaucoup, je m'éreinte avec délices. » L'aurait-il fait si cela n'avait pas été nécessaire ?

Comment se peut-il que tant d'esprits brillants, imaginatifs et productifs aient décidé d'abandonner leur bureau pour la marche ? Cherchaient-ils un répit ? Faisaient-ils une pause après la réflexion intense qu'impose le travail d'écriture ? C'est tout le contraire : ils avaient compris qu'en brisant les chaînes de l'enfermement entre les quatre murs d'une pièce, la marche pose les jalons d'une réflexion riche et d'une écriture inspirée. Peut-être laisse-t-elle simplement l'esprit et l'imagination musarder à leur aise. Mais qu'est-ce qui différencie la marche d'autres formes d'activité physique pouvant être considérées comme tout aussi efficaces pour que l'esprit vagabonde ? Pourquoi la marche et sa cadence semblent-elles être taillées sur mesure pour enrichir l'inspiration des écrivains et des philosophes ? La réponse courte est que lorsque nous marchons, nous choisissons notre rythme propre, celui qui nous convient le mieux. À la différence d'autres moyens de locomotion comme la voiture, la moto, le vélo ou même le jogging, il y a dans la marche une espèce d'oscillation naturelle entre le corps et l'esprit qui semble s'ajuster à nos pensées et nos émotions. On peut accélérer ou ralentir, mais toujours selon notre bon vouloir et en douceur. Comme le dit Rebecca Solnit dans *Wanderlust* : « Marcher, idéalement, est un état dans lequel l'esprit, le corps et le monde sont alignés, comme s'ils étaient trois personnages en conversation les uns avec les autres, trois notes constituant un accord. Marcher nous permet d'être dans nos corps et dans le monde sans qu'ils prennent possession de nous. La marche nous laisse libres de penser sans être totalement perdus dans nos pensées. » C'est exactement cela : parce que nous n'avons pas à (trop) nous concentrer lorsqu'on marche, on peut laisser notre esprit et notre imagination vagabonder à leur guise – les conditions les plus favorables pour penser de manière fructueuse, mais aussi pour l'écriture. Quand nous marchons, les idées bouillonnent ! Il existe une théorie pour expliquer ce phénomène : la théorie des pièces libres (*theory of loose parts*), développée au début des années 1970 par l'architecte britannique Simon Nicholson. Alors qu'il s'interrogeait sur la meilleure manière de rendre les terrains de jeux plus attractifs pour les enfants, il réalisa que pour bien penser et de manière indépendante, il faut un environnement caractérisé par une grande variété de choses, la possibilité de rencontres fortuites, et des éléments placés au hasard. C'est seulement à partir de ce moment-là que se construisent notre compré-hension du monde et notre vision des choses. La marche permet d'accéder à un tel environnement : elle offre une source infinie de nouvelles perspec-tives et de rencontres fortuites, mais parce qu'elle est si naturelle, facile et « inconséquente », elle ne comporte pas de risque de sur-stimulation. Elle nous laisse vivre avec nous-mêmes, avec nos propres pensées, sans interférence. En dépit de (ou grâce à ?) son caractère routinier, elle combine la réflexion, l'exploration, la découverte, la méditation, la conversation... sollicitant nos cinq sens. Dès lors, il n'est pas surprenant qu'autant de penseurs et d'écrivains la considèrent comme une composante essentielle de leur activité.

POINTS CLÉS

1. La marche et l'écriture possèdent de nombreux points communs.

2. De nombreux écrivains et philosophes considèrent la marche comme une nécessité absolue.

3. La marche offre un espace incomparable pour laisser libre cours à la pensée et l'imagination.

4. Quand on marche, nos idées bouillonnent !

CONCLUSION

J'espère vous avoir convaincu des innombrables bénéfices de la marche : ils sont à la fois grands et petits, importants et anecdotiques, macro et micro, multidimensionnels et néanmoins précis, personnels mais accessibles à tous. En vrac et sans être exhaustif : ils sont d'ordre physique, cognitif, font du bien à l'environnement et à l'économie, améliorent la qualité de notre travail et de notre performance intellectuelle, diminuent le risque d'Alzheimer, réduisent la dépression, améliorent notre santé, plus intelligents et plus patients, augmentent notre estime de soi et notre confiance en nous, nous donnent de l'énergie et réduisent notre stress, contribuent à la lutte contre le risque climatique, augmentent notre productivité (avec un effet bénéfique sur la croissance), réduisent nos dépenses de santé (améliorant ainsi la situation budgétaire des gouvernements), font du bien à la société en estompant certaines inégalités, et ainsi de suite… En outre, il y a dans la pratique de la marche quelque chose de particulièrement apaisant par les temps qui courent : à notre époque d'accélération permanente, saturée de technologie, la marche nous offre l'opportunité de nous reconnecter avec nos racines, la nature et nous-mêmes. Dans sa simplicité et son caractère primitif, elle est le seul mode de transport qui nous amène à destination par nos propres moyens, sans équipement ni carburant. Elle nous donne un sentiment de liberté inégalable.

Si les bénéfices de la marche sont aussi évidents, et si ses inconvénients sont non existants (quelle formidable combinaison !), pourquoi ne marche-t-on pas davantage ? Peut-être, l'effort requis pour s'y mettre joue-t-il un rôle dissuasif, mais d'une façon plus générale, nous ne sommes pas, en tant qu'êtres humains, toujours bien placés pour juger de ce que sont nos meilleurs intérêts. Beaucoup de décisions que nous prenons pour nous-mêmes sont de mauvaises décisions car nous avons une forte propension à nous tromper sur ce que l'avenir nous réserve et à mal évaluer ce qui nous satisfait dans le présent. Le dalaï-lama (un grand marcheur et un homme sage s'il en fut !) a réussi à saisir cette contradiction fondamentale de notre humanité lorsqu'on lui posa la question de savoir ce qui le surprenait le plus dans le monde. « L'homme », répondit-il, en donnant la raison suivante : « Parce qu'il sacrifie sa santé pour gagner de l'argent. Ensuite il sacrifie son argent pour récupérer sa santé. Ensuite il est tellement anxieux à propos du futur qu'il ne profite pas du présent ; le résultat étant qu'il ne vit ni dans le présent ni dans le futur : il vit comme s'il n'allait jamais mourir, et puis il meurt sans avoir jamais vécu. »

Marcher, d'une manière fort modeste mais cohérente, peut nous aider à résoudre ce paradoxe quadrangulaire entre argent, santé, objectifs personnels et sens de la vie. On peut décider d'aller marcher avec l'idée spécifique d'engranger les différents bénéfices qu'offre cette activité : la garantie d'être en bonne santé et tout un tas de raisons utilitaires ; mais on peut aussi aller marcher pour le seul plaisir de le faire, et pour le bonheur de vivre le moment présent, pour un instant d'euphorie ou d'apaisement.

Si ce livre a pu contribuer à révéler le pouvoir et les bénéfices de la marche, non seulement pour notre santé et notre bien-être personnel, mais bien au-delà de notre propre individualité, j'aurai atteint mon objectif. Quelque chose que nous faisons avec un but particulier pourrait alors devenir une activité que nous pratiquons purement par plaisir. Si cette métamorphose de l'utilitaire vers la félicité se réalise, alors n'importe quel lieu où vous marcherez contiendra la promesse d'une découverte et le charme de l'inconnu.

BIBLIOGRAPHIE

Dix bonnes raisons d'aller marcher s'inspire des découvertes les plus récentes des neurosciences, de la médecine, de la psychologie, de l'économie, de l'anthropologie et de la science de l'environnement. N'étant ni un travail théorique ni une compilation des milliers d'articles publiés sur le sujet, c'est un « entre-deux » destiné à éclairer la lanterne des lecteurs sur les innombrables bénéfices de la marche, aussi bien pour nous-mêmes que pour la société que nous composons.

Le sujet de la marche, et la littérature qui y est consacrée, est tellement vaste qu'il pourrait justifier à lui seul plusieurs volumes. Ce n'était pas notre objectif : notre argumentaire se veut rigoureux mais ramassé, loin des pesanteurs du travail académique. Il contient un florilège de faits, de chiffres et d'anecdotes dont voici les références, citées dans l'ordre où elles apparaissent dans le texte. La plupart sont en anglais.

1. C'est bon pour le corps

• HARVARD MEDICAL SCHOOL, *Walking : Your steps to health*, Harvard Health Publications, 2009.

• CANADIAN CENTRE FOR OCCUPATIONAL HEALTH AND SAFETY, *Walking : Still Our Best Medicine*, 2016.

• WALKING FOR HEALTH, *Walking Works. How walking can help everyone lead longer, healthier and happier lives*, 2016.

• ACADEMY OF ROYAL MEDICAL COLLEGES, *Exercise : The miracle cure and the role of the doctor in promoting it*, 2015.

• AARON CARROLL, « Closest Thing to a Wonder Drug ? Try Exercise », *The New York Times*, 2016.

• COLLECTIF, « Physical Activity 2016 : Progress and Challenges », *The Lancet*, 2016.

• GRETCHEN REYNOLDS, « How Exercise May Turn White Fat Into Brown », *The New York Times,* 2016.

2. C'est bon pour le cerveau

• RODOLFO LLINAS, *I of the Vortex : From Neurons to Self*, MIT Press, 2001.

- ALVARO PASCUAL-LEONE, « How to Keep Your Brain Healthy Through Exercise », Harvard Health Publications, 2016.
- GRETCHEN REYNOLDS, « How Exercise May Help the Brain Grow Stronger », *The New York Times*, 2016.
- GRETCHEN REYNOLDS, « Walk, Jog or Dance : It's All Good for the Aging Brain », *The New York Times*, 2016.
- HARVARD MEDICAL SCHOOL, *Can You Sidestep Alzheimer's disease ?*, Harvard Health Publications, 2015.
- WAYNE CURTIS, « Walking for a Better Brain », *The Atlantic*, 2014.
- HARVARD MEDICAL SCHOOL, *Exercise and Depression*, Harvard Health Publications, 2009.
- FB SCHUCH ET AL, « Are lower levels of cardiorespiratory fitness associated with incident depression ? A systematic review of prospective cohort studies », *Preventive Medicine*, 2016.
- GRETCHEN REYNOLDS, « How walking in nature changes the brain », *The New York Times*, 2015.
- BUM JIN PARK ET AL, « The physiological effects of *Shinrin-yoku* : evidence from field experiments in 24 forests across Japan », *Environmental Health and Preventive Medicine*, 2010.

• EPHRAT LIVNI, « The Japanese practice of "forest bathing" is scientifically proven to improve your health », *Quartz*, 2016.

3. C'est bon pour l'esprit

• ESTHER M. STERNBERG, *The Balance Within : The Science Connecting Health and Emotions,* W.H. Freeman & Company, 2001.

• GREATER GOOD SCIENCE CENTER, « What Is Mindfulness ? », Berkeley University

• GRETCHEN REYNOLDS, « To Jump-Start Your Exercise Routine, Be Mindful », *The New York Times,* 2015.

• JULIANA BREINES, « Four Awe-Inspiring Activities », *Greater Good Magazine*, Greater Good Science Center, Berkeley University, 2016.

• AUDREY BERGOUIGNAN ET AL, « Effect of frequent interruptions of prolonged sitting on self-perceived levels of energy, mood, food cravings and cognitive function », *International Journal of Behavioral Nutrition and Physical Activity*, 2016.

• NEAL LATHIA ET AL, *Happier People Live More Active Lives : Using Smartphones to Link Happiness and Physical Activity*, PLOS, 2017.

• WENDY SUZUKI, « A neuroscientist says there is a powerful benefit to exercise », *Quartz*, 2016.

4. C'est bon pour la prise de décision

• TOM IRELAND, « What Does Mindfulness Meditation Do to Your Brain ? », *Scientific American*, 2014.

• FERRIS JABR, « Why Walking Helps Us Think », *The New Yorker*, 2014.

• S. SCHAEFER ET AL, « Cognitive performance is improved while walking : Differences in cognitive-sensori-motor couplings between children and young adults », *European Journal of Developmental Psychology*, 2010.
Un condensé de cette étude a été réalisé par THE BRITISH PSYCHOLOGICAL SOCIETY, « Memory performance boosted while walking », Research Digest, 2010.

• MARILY OPPEZZO AND DANIEL L. SCHWARTZ, « Give Your Ideas Some Legs : The Positive Effect of Walking on Creative Thinking », *Journal of Experimental Psychology : Learning, Memory, and Cognition*, 2014.

• MATT MCFARLAND, « Why Silicon Valley's top execs are obsessed with taking walks », *CNN Tech*, 2016.

• Tom Jacobs, « A Short Walk Reduces Chocolate Cravings », *Pacific Standard*, 2015.

5. C'est bon pour s'ajuster à l'accélération du monde

- ADAM GAZZALEY ET LARRY ROSEN, *The Distracted Mind : Ancient Brains in a High-Tech World*, MIT Press, 2016.

- DAVID SBARRA, « I trained myself to be less busy – and it dramatically improved my life », *VOX*, 2017.

- JAMES HAMBLIN, « On Cognitive Doping in Chess and Life », *The Atlantic*, 2017.

- JUSTIN TALBOT-ZORN ET LEIGH MARZ, « The Busier You Are, the More You Need Quiet Time », *Harvard Business Review*, 2017.

- DANIEL LEVITIN, *The Organized Mind : Thinking Straight in the Age of Information Overload*, Penguin Books Ltd, 2015

6. C'est bon pour l'égalité

- JULIE BECK, « The inequality of happiness », *The Atlantic*, 2016.

- « The World Happiness Report 2017 » est disponible sur Internet : worldhappiness.report

- DAVID BROOKS, « The power of altruism », *The New York Times*, 2016.

- SAMUEL BOWLES, *The Moral Economy. Why Good Incentives Are No Substitute for Good Citizens*, Yale Univ. Press, 2016.

7. C'est bon pour l'économie

- LEONID BERSHIDSKY, « Happy Nations Don't Focus on Growth », *Bloomberg View*, 2017.
- RICHARD EASTERLIN, « The science of happiness can trump GDP as a guide for policy », *The Conversation*, 2016.
- C. THOGERSEN-NTOUMANI ET AL, « Changes in work affect in response to lunchtime walking in previously physically inactive employees : A randomized trial », *Scandinavian Journal of Medicine and Science in Sports*, 2015.
- STEVEN LEVY, « One More Thing. Inside Apple's Insanely Great (Or Just Insane) New Mothership », *Wired*, 2017.

8. C'est bon pour l'environnement

- WORLD BANK'S INSTITUTE FOR HEALTH METRICS AND EVALUATION, « The Cost of Air Pollution : Strengthening the Economic Case for Action », *World Bank*, 2016.
- TOM VANDERBILT, « The Crisis in American Walking », *Slate*, 2012.
- JORDAN GOLSON, « 7 simple ways to make every city friendlier to pedestrians », *Wired*, 2014.
- JOSEPH KANE AND ADIE TOMER, « Millennials and Generation X Commuting Less by Car, But Will the Trends Hold ? », *Brookings*, 2014.

- Jeff Speck, « The walkable city », *A TED talk,* 2013.

9. C'est si "bon" que ce sera rendu obligatoire

- Soumaya Karlamangla, « Are you pre-diabetic ? 46 % of California adults are, UCLA study finds », *Los Angeles Times*, 2016.
- Amrith Ramkumar, « Americans Blow $27.8 Billion a Year by Being Lazy », *Bloomberg*, 2016.
- Richard Dobbs, Boyd Swinburn, « The Global Obesity Threat », *Project Syndicate*, 2015.
- Olivia Williams, « Obesity : The worldwide pandemic that we can solve », *Oxford Today*, 2016.
- Gretchen Reynolds, « What's the Value of Exercise ? $2,500 », *The New York Times*, 2016.
- Charlie Stephens, « Why One University Made Fitbits Mandatory for Students », *PSFK*, 2016.
- Olivia Solon, « Why Your Boss Wants to Track Your Heart Rate at Work », *Bloomberg*, 2015.

10. C'est un must – selon les écrivains et les philosophes

Ce chapitre s'appuie sur quatre sources principales d'inspiration.

- DANIEL GROS, *A Philosophy of Walking*, Verso, 2015.
- ROGER-POL DROIT, *Comment marchent les philosophes*, Paulsen, 2016.
- REBECCA SOLNIT, *Wanderlust – A History of Walking*, Penguin Books, 2000.
- MERLIN COVERLEY, *The Art of Wandering – The Writer as Walker*, Oldcastle Books, 2012.

Pour des références particulières sur la relation entre la marche et l'écriture.
- ARIANNA HUFFINGTON, « Hemingway, Thoreau, Jefferson and the Virtues of a Good Long Walk », *The Huffington Post*, 2013.
- BRETT AND KATE MCKAY, « Solvitur Ambulando : It Is Solved By Walking », *The Art of Manliness,* 2013.
- FERRIS JABR, « Why Walking Helps us Think », *The New Yorker*, 2014.
- ADAM GOPNIK, « Heaven's Gaits », *The New Yorker*, 2014.
- LAUREN ELKIN, « A tribute to female flâneurs : the women who reclaimed our city streets », *The Guardian*, 2016.

Table des matières